Albert Camus

De *L'Envers et l'endroit*
à *L'Exil et le royaume*

This original anthology opens with the preface (as yet untranslated) Camus wrote for the 1957 edition of L'ENVERS ET L'ENDROIT. *It closes with a speech still unfamiliar to American readers, "L'Artiste et son temps." In both, the Nobel Prize winner reveals his preoccupations as a man and as an artist in our time. Entries reproduced from Camus's notebooks of the late 1930's, essays, sketches, a haunting short story, and his most controversial play,* LES JUSTES, *make up the remainder of the book. Miss Brée constantly—in choice of material, in introductory comment, in annotation —defines the man's life through his work, his work through his life. This book is more than an anthology. It is an introduction to Albert Camus.*

Germaine Brée, who has edited this volume for the Laurel Language Library, is the author of the critical biography CAMUS *and other distinguished books. Of* CAMUS *Henri Peyre wrote: "Her remarkable study is not likely to be surpassed for many years. It is a lucid and comprehensive presentation of the life of* CAMUS, *resting on a solid basis of facts, utilizing the unpublished notebooks and early drafts of the author, generously lent by him. . . ."*

AVAILABLE AND FORTHCOMING TITLES

Chrétien de Troyes, YVAIN OU LE CHEVALIER AU LION.
Introduction and notes by Julian Harris.

Pierre Corneille, POLYEUCTE *and* LE MENTEUR.
Introduction and notes by Georges May.

Molière, LE TARTUFFE *and* LE MÉDECIN MALGRÉ LUI.
Introduction and notes by Jacques Guicharnaud.

Jean Racine, PHÈDRE *and* BRITANNICUS.
Introduction and notes by George B. Daniel, Jr.

Denis Diderot, JACQUES LE FATALISTE. *Introduction
and notes by J. Robert Loy.*

Honoré de Balzac, LA PEAU DE CHAGRIN.
Introduction and notes by Victor Brombert.

Gustave Flaubert, MADAME BOVARY. *Introduction
and notes by Iris Friedrich.*

FRENCH POETRY FROM BAUDELAIRE TO THE PRESENT.
Edited, with an introduction, by Elaine Marks.

Albert Camus, DE "L'ENVERS ET L'ENDROIT" À "L'EXIL ET
LE ROYAUME." *Introduction and notes by Germaine Brée.*

Albert Camus

De *L'Envers et l'endroit*
à *L'Exil et le royaume*

Edited, with introductions and
notes, by Germaine Brée

THE LAUREL LANGUAGE LIBRARY

Published by

Dell Publishing Co., Inc.

750 Third Avenue, New York 17, N.Y.

Laurel ® TM 674623, Dell Publishing Co., Inc.

© Copyright, 1963, by Dell Publishing Co., Inc.

Designed by R. Scudellari

First printing—March, 1963

Printed in U.S.A.

Préface and "L'Ironie" from L'ENVERS ET L'ENDROIT (Edition de 1957), copyright © 1957 by Librairie Gallimard.

"L'Eté à Alger" from NOCES, copyright 1950 by Librairie Gallimard.

"L'Absurde et le suicide" and "Le Mythe de Sisyphe" from LE MYTHE DE SISYPHE, copyright 1942 by Librairie Gallimard.

"Prométhée aux enfers" from L'ETÉ, copyright 1954 by Librairie Gallimard.

LES JUSTES, copyright 1950 by Librairie Gallimard.

"Les Pharisiens de la justice" from ACTUELLES II, copyright 1953 by Librairie Gallimard.

"La Pierre qui pousse" from L'EXIL ET LE ROYAUME, copyright © 1957 by Librairie Gallimard.

The foregoing selections are reprinted by arrangement with Librairie Gallimard.

Grateful acknowledgment is also made to the Associazione Culturale Italiana for permission to reprint "L'Artiste et son temps," in whose review, QUADERNI ACI, the speech was first published.

AUTHOR'S ACKNOWLEDGMENT: *I should like to thank Madame Camus for having made available the pages from her husband's notebooks. I should also like to thank Ellen Conroy Kennedy and Eric Schoenfeld for their help in the preparation of the book.*

Contents

Chronology

1913 (November 7) Albert Camus's birth in Mondovi, Algeria.

1930 First serious attack of tuberculosis.

1932–36 Student of philosophy at the University of Algiers; for next several years supports himself with a series of odd jobs. His health interrupts his preparation for career in college teaching.

1934 First marriage ending in divorce a year later.

1935 Actor-director-playwright in *Théâtre du Travail,* which he founds; play *La Révolte dans les Asturies,* of which he is part author.

1936 Receives the *diplôme d'études supérieures* in philosophy.

1937–39 Camus's *Théâtre du Travail* becomes the *Théâtre de l'Equipe.*

1937 *L'Envers et l'endroit.*

1938 Reporter for the *Alger Républicain; Noces.*

1939 World War II begins.

1940 Works in Paris as editor for *Paris-Soir;* second marriage, to Francine Faure, in Lyon; returns to Algeria in January, 1941.

1942 *L'Etranger;* having left Algeria toward the close of 1942 to join French Resistance movement, becomes editor of clandestine newspaper *Combat.*

1942–44 Recurrent attacks of tuberculosis.

1943 *Le Mythe de Sisyphe;* editor at the Gallimard publishing house in Paris, a job he held until his death; meets Jean-Paul Sartre.

1944 After Liberation continues as editor of *Combat;* production of *Le Malentendu* in Paris.

1945 Birth of twins, Jean and Catherine; production of *Caligula*.

1946–47 Lecture tour of United States.

1947 *La Peste*.

1948 *L'Etat de siège*.

1949 Lecture tour of South America; production of *Les Justes*.

1949–51 New attacks of tuberculosis.

1951 *L'Homme révolté;* controversy with Sartre, leading to break.

1956 *La Chute;* production of adaptation of William Faulkner's *Requiem for a Nun*.

1957 Nobel Prize for "his important literary production, which with clearsighted earnestness illuminates the problem of the human conscience of our time"; *L'Exil et le royaume*.

1958 Production of adaptation of Dostoevsky's *The Possessed*.

1959 Appointed by André Malraux, minister for cultural affairs of the French government, as director of the new state-supported experimental theater.

1960 (January 4) Death in an automobile accident.

Introduction

"Camus has had the luck, up to a certain point at least, of being a prophet in his own country. Yet it would scarcely be a paradox to say that he is a great American writer even more than a French one, inasmuch as the public makes the writer."* In this respect, Camus is unique. No other French writer has ever been so promptly or so widely read and discussed in the United States. Thousands of Americans felt personally involved when Camus was awarded the Nobel Prize in 1957, and at the news of his sudden death in 1960. During his visit to the United States, immediately after World War II, Camus had felt as much at ease with Americans as they seem to have felt with him. It may have been, as he sometimes suggested, because as a European Algerian, born and bred in North Africa, he stood somewhat outside the traditions of Western Europe, though inheriting some of them. In some ways, Camus felt that he belonged to a country without traditions. This has been true too for many Americans, fostering perhaps a simpler, more direct outlook on life. Similar too is the sense of living on a vast uncrowded continent, at home in a natural world which nonetheless never lets you forget its cosmic indifference to individual lives. The violent tornadoes and dust storms that sweep across the great plains of America have their counterpart in the deserts of Africa where a relentless sun beats down upon the dry earth.

Be that as it may, Albert Camus is no stranger on college and university campuses and needs little introduction. The impact of his work has been great. Beyond America, it has

* Serge Doubrovsky, "Camus in America," *A Collection of Critical Essays*, Prentice-Hall, 1962, p. 76.

been worldwide. His Algerian working-class origins, the role he played in the French Resistance during World War II, his influence as journalist, his immense personal charm, the Nobel Prize he won at the age of forty-three, and the ghastly automobile accident which killed him at the height of his career: all have contributed to make Camus one of the most moving and significant figures of the mid-century. He is one of the rare contemporary writers to attain universal recognition.

On this side of the Atlantic he is perhaps best known as the author of three novels—*L'Etranger (The Stranger); La Peste (The Plague), La Chute (The Fall)*—and a book of essays, *L'Homme révolté (The Rebel)*. For this volume, therefore, I have chosen excerpts from other, less familiar works. The first part presents selections from Camus's earliest writings, the yet untranslated *L'Envers et l'endroit* (Betwixt and Between), and *Noces* (Nuptials), published in Algiers in 1937 and 1938 when Camus was just reaching his mid-twenties. Also included are pages from Camus's early notebooks, the first volume of which was published in France in 1962. Herein he jotted down daily impressions, notes on his reading and ideas for his work. Finally, there is a section of his first long essay, *Le Mythe de Sisyphe*, the companion piece to *L'Etranger*. From the sum of these selections one gets a vivid picture of the young writer's sensitive and imaginative inner life.

The second part of this volume begins with an essay written right after World War II which evokes the great figure of Prometheus, successor to Sisyphus in Camus's thought. Next and most importantly comes Camus's fourth play *Les Justes*, followed by a brief passage from *Actuelles II* in which Camus comments on the meaning of his play. *La Pierre qui pousse* ("The Growing Stone"), from the volume of short stories *L'Exil et le royaume*, marks another stage on Camus's way, the last he reached, though not the last that he had planned.

No better introduction to Camus could be found than his little-known preface to the 1957 reissue of *L'Envers et l'endroit*. Camus was just turning forty when he undertook to write it and almost twenty years had passed since the appearance of that first small volume of essays. Now famous, unaware that his career was so soon to be cut short, Camus paused to appraise the distance he had covered, the losses and gains, the work still to be done. As a conclusion to this volume, echoing the preface as it were, we have included a lecture on "L'Artiste et son temps" that Camus delivered in Italy in 1954. In a more general context, it is the most complete statement Camus ever made about the responsibilities and frustrations of the contemporary writer, and the most challenging. Perhaps a well-rounded Camus, a more complex Camus than is generally known will come to life through these pages.

Albert Camus was born in the small inland village of Mondovi, near Constantine in Algeria. Everything in his childhood environment would seem to have cut him off from the world of art. Both his parents were illiterate. His father, an Alsatian-born farm laborer, was killed in 1914 at the Battle of the Marne. His mother then moved with her two sons into the working-class section of Algiers where Camus grew up. There European immigrants of many origins—Italian, Spanish, French, Polish, Maltese—mingled freely with the Moslem and Jewish population. There Camus knew from hard experience the unadorned brutality of working-class lives and the mute suffering and dignity of the poor. But he observed too, and enjoyed, the Mediterranean flair for dramatic improvisation, for the grand gesture, for the tall tale. He had a vivid capacity for improvisation and parody which he constantly held in check, apparently not quite sure how well he could control it. The underlying sense of the grotesque that runs throughout his work is apparent in *Caligula, L'Etranger* and *La Chute*, in the sometimes cruel delight Camus takes in submitting his readers to shock treatment, without a word of warning. The opening of *L'Etranger* is a case in point.

Almost without exception, Camus's characters are drawn from the teeming population of his Mediterranean homeland. He was never quite comfortable with the kind of human beings he met in the sophisticated circles of Paris.

In a short story "Jonas" and in *La Chute,* he treated them with a sort of satiric contempt, though contempt was a feeling he disliked and against which he struggled. It was the Algerian environment of his young manhood that furnished the substance of *L'Envers et l'endroit.* There, having already moved away from his family surroundings, Camus noted down certain clear-cut scenes in an economical, concentrated style. Sketched against the background of an omnipresent exterior world, each one of the scenes has a sharply etched dramatic quality. Young Camus himself appears in person both as witness and participant. One senses his deep sympathy for human beings, his awareness of their limited, poverty-stricken lives. Already Camus was feeling his way toward one of his major themes. Each episode described reveals some paradox at the heart of a human situation, some unresolved discrepancy between outer circumstances and inner aspirations, the fundamental loneliness of the individual, and the consequent irony of all human living.

By the time he was an adolescent Camus was already moving away from "the world of poverty" to which he nonetheless always felt he belonged, a bond which remained one of the sources of his creative strength. Two masters, whom he never forgot—his grade-school teacher, Louis Germain, to whom he dedicated his Nobel Prize acceptance speech and his high-school then university professor of philosophy, Jean Grenier—opened up to him the world of thought and literature. Perhaps because this was his most immediate connection with great reserves of unexpressed emotion, Camus found himself drawn to the great works of the past, in particular to the Greeks. They did not seem distant to him, but real and present, illuminating his own experience. Their Mediterranean world was his, as were the immediacy and totality with which they grasped the riddles and contradictions which he himself was experiencing.

In his childhood and adolescence Camus seems to have been acutely sensitive to the beauty of Algeria. The sea, the sun, the beaches, the barren hills, the limpid star-lit sky, the richly fragrant, richly colored yet fragile vegetation made up an inner landscape, sensuous and beautiful, of which he seems hardly then to have been conscious. Like all the boys around him, he gave free rein to an ardent physical life: football, swimming, canoeing, boxing—he was for a time a local light-weight boxing champion—dancing, all satisfied the healthy young animal he was. To the end of his life, Camus shared the enthusiasm of the working class for football and boxing matches, for motor-bike races, etc. An understanding of the great Greek classics changed the adolescent's passion for physical plenitude to an appreciation of its limitations, an appreciation which illness was to make dramatically acute.

When he was about seventeen, Camus almost died of the pulmonary tuberculosis which was to plague him for the rest of his life. Some of the basic images in his work seem closely connected with this experience: images evoking the anguish of slow stifling or, in contrast, the relief of breathing freely in the soft cool air of night. The young man seems then to have felt almost obsessively the irony of circumstance inherent in his own situation: a tremendous appetite for life in a being condemned to die. No wonder he found incarnate in Sisyphus and Prometheus the riddle of human existence: Sisyphus was the mythical hero who defied death and in fact, like young Camus himself, escaped for a while from Hades to enjoy a new lease on life, so greatly did he prize the beauty of the earth; Prometheus revolted against Zeus's decree that men should remain enslaved and in darkness. Sisyphus was a personal hero, embodying Camus's intimate experience. Prometheus seems more clearly connected with Camus's revolt against the lot of the poor, of his own deaf and silent mother, working stubbornly in a menial job with nothing to look forward to but suffering and death, a senseless and "absurd" life to be sure. It was in *Noces* that Camus first expressed in a personal lyrical style his keen sense of the beauty of a natural world which thoroughly satisfied his aspirations. His inarticulate childhood had furnished the adolescent the powerful reserves of emotion which were to shape his career as writer. He turned to the great literary works of the past for the suggestions and models he needed. With extraordinary consistency and will, he worked at disci-

plining his own inadequate and formless language, striving
to overcome its original shortcomings. Camus's first works
reflect the strictness tinged with a certain formality which
he imposed on himself and which, little by little, was to disappear as he gained a greater mastery of expression. Hence
the reservations he expresses in his preface to *L'Envers et
l'endroit* concerning the quality of his first essays.

From the very start, however, it is clear that young Camus
was concerned essentially with the truth. He wrote as he
spoke, a living language. He stripped language to its bare
essentials so that it might adhere as closely as possible to
what he wanted to express, and that was the paradox of his
own life. He had been given no system of ethics, no religious
beliefs to direct him. He was endowed with a vibrant sen-
suality. In the slums of Algiers he had acquired a direct
experience of life which precluded any sentimental evasion
of the stark facts he had observed. He had the double task
of elucidating his experience and of measuring against it
those metaphysical, religious, and ethical beliefs which were
supposed to account for its puzzling contradictions. Very
early, therefore, his writing began to reflect an awareness of
the anxieties and complexity of the modern consciousness
in a personal way.

In 1930, after his first attack of tuberculosis, feeling that
he could not survive otherwise, Camus left home and made
a living as best he could from odd jobs he picked up in the
city. His energy seems to have been boundless. As a student
at the University of Algiers, he majored in philosophy. He
was active in politics, joining the Communist party in 1934,
becoming disillusioned with it a year later and definitely
breaking with it in 1937. He organized a successful amateur
theater group, in which he held the varied functions of
director, actor, adaptator of plays, and business manager.
He toured Algeria as an actor in the troupe of Radio Alger.
Unable to continue his university career because of his
health, he turned to journalism. Besides his favorite Greeks,
he was avidly reading Pascal, Nietzsche, Kierkegaard, Dostoevsky, and Spengler, and Gide, Malraux and Montherlant
among contemporary writers. He seems to have started

writing sporadically in 1932, and from 1935 on he kept the notebooks in which, to the end of his life, he jotted down ideas for his work. At first he was working on a long novel, which he never finished and out of which came *L'Envers et l'endroit* and *Noces* and the first ideas for *L'Etranger*. *L'Etranger, Le Mythe de Sisyphe* and *Caligula* were all planned and in great part written in these years.

The advent of World War II in 1939 was drastically to change the course of Camus's life. It also influenced the course of his work. Because of his health, he could not serve in the army. He worked in Paris as a journalist and witnessed the defeat of France and the German invasion, returning for some months to North Africa which he again left in 1942 to join "Combat," a resistance group in France. Ostensibly he was working as a reader for the publishing firm of Gallimard. Until the liberation of Paris in August 1944 however, Camus was, it seems, deeply involved in underground warfare. *L'Etranger* and *Le Mythe de Sisyphe,* soon to be followed by *Caligula* (1944), were published during these years, but few people knew that the successful young author of these works was an active participant in the Resistance and one of the three editors of the clandestine newspaper *Combat.*

L'Etranger, Le Mythe de Sisyphe, and *Caligula* reflect a prewar Camus still close to the "soleil invincible" of Algeria. Camus himself saw them as forming a kind of unit, a cycle of "the absurd" closely linked to the mythical figure of Sisyphus. In those prewar years what mainly preoccupied young Camus was the intellectual nihilism which prevailed among the younger generation of Europeans and against which he struggled. The consequences of World War I and the political spectacle of the 30's were not conducive to any great measure of idealistic faith in social institutions. Many young men felt that the church itself was now content to live on empty rituals. Camus, never an adherent to the Christian faith, had read Nietzsche, Spengler, Kierkegaard, and the newly fashionable existentialist philosophers who restated in new terms the fundamental paradox of man's condition on this earth. His own experience prepared him to accept and describe as "absurd" these paradoxes: to love life and be destined to die; to seek some logical meaning in life and never to find it; to hunger for justice and partake of injustice. For him these were three forms of the contradictions with which one must live. That because human life is brief and incomprehensible, it is futile was a conclusion he rejected. In the light of his own experience such a conclusion seemed inadequate and false. That human life is infinitely valuable and therefore cannot be treated in certain ways is what he passionately wanted to convey. Meursault, the hero of *L'Etranger,* and the mad emperor of the play *Caligula* suffer a fragmentary awareness of life's complexity which leads them to disaster, while Sisyphus conveys Camus's feelings in their fullness.

Camus came out of World War II physically exhausted, full of hope for the future, yet deeply marked by the violence and horror he had witnessed, and in which he had participated. He expressed his revolt at the orgy of cruelty and murder typified by Nazi concentration camps in his *Lettres à un ami allemand* written during the darkest years of the war—his revolt and his faith that Nazism could not win. His second play *Le Malentendu* and his novel *La Peste* reflect the despair against which he struggled during the war years. In the setting of *Le Malentendu*—a cheerless, solitary inn where two inhuman women automatically murder their guests—and of *La Peste*—a quarantined city in the grip of the plague—it is easy to see the reflection of a threatened world dominated by an obsession with death. In Camus's thought Sisyphus was now making way for Prometheus and a long meditation on revolt, its virtues, and its dangers.

The war had intensified Camus's vision, focusing it on human suffering, human errors and responsibilities. But it had also narrowed it temporarily, almost blotting out for a while his delight in the beauty of the earth, his concern with love and happiness—all, in his eyes, the birthright of human beings. He had seen political dogmatism turned from its original purpose—a real concern for social justice—into a murderous system of repression. This perversion of truly generous impulses in human beings led him in *L'homme révolté* to examine his own intellectual history, the political and literary background which seemed in contemporary Europe to have led, in the name of justice, to an overwhelming contempt for individual life and happiness. He now openly attacked those philosophies of history, the Marxist in particular, which justified the means in view of an uncertain end. This is the problem raised in the play *Les Justes*. During the post-liberation years in France justice was a burning and deeply disturbing issue closely linked to the trials of French collaborationists and Nazi war criminals. What should be the limits of violence perpetrated in the name of Justice? Is there no choice other than to accept existing injustice or, by fighting it, add new injustice to the old? Camus's particular concern was the violence carried out and justified in the name of an ideology. *Les Justes* has no thesis, except insofar as it shows the disparity between fine-sounding abstract arguments and the toll taken in human anguish and suffering by those who attempt to translate them into action. Through Prometheus, symbolic of man's revolt, Camus was discovering the route to Nemesis, the Greek goddess of justice who punishes human beings for overstepping certain limits. In his destructive contempt for all human beings, Clamence, hero of the novel *La Chute,* was in Camus's eyes the worst of such violators, an outcast he envisioned in the deepest pit of hell.

La Chute was first conceived as one of the short stories in *L'Exil et le royaume*. In this volume Camus experimented with new techniques in an effort to elaborate more fully his now mature vision of the grandeur and pathos of human living on this earth. With one exception, the story entitled "Le Renégat," he left aside play-actors and impersonators like his Caligula and Clamence. Instead his main characters are ordinary persons in everyday circumstances who feel as the mass of ordinary human beings feel. Nevertheless the last story of *L'Exil et le royaume,* "La Pierre qui pousse," is more elusive than the others. D'Arrast, its protagonist, is moved by a strange and deep impulse, not fully comprehensible to him and yet deeply rewarding. In this tale the contradictions and absurdities of the human lot seem to resolve themselves in an act both real and symbolic, strangely moving in its simplicity, whereby d'Arrast recovers the sense of community with others however far removed they may seem from himself. Sisyphus, the Greek hero condemned forever to roll a stone to the summit of a slope down which the stone forever rolled again; Prometheus, chained to a rock for having brought man a secret delivering him from enslavement to the Gods; d'Arrast, who carries for another the boulder he was unable to lift; all three of them are brothers, emphasizing the consistency of purpose through which Camus sought and found meaning in a chaotic, anarchistic world.

In the lecture which closes this volume Camus defined his task as writer: to be true, in the most exacting sense, first to his experience and his sense of responsibility as a man among other men and secondly to his art as writer, aware of the exigencies of his craft. Surely it is to his commitment to this double and high ideal that Camus owed his remarkable success and the worldwide interest which his work continues to arouse. In our time, when society offers few standards and little aid to the individual, such active participation in the human venture is a difficult, demanding task.

GERMAINE BRÉE

$\mathcal{L}$'Envers et l'endroit

Préface

It was shortly after the controversy raised by L'Homme révolté that Camus started to write the preface for the new edition of L'Envers et l'endroit. He felt the need to clarify for others, perhaps too for himself, how he had reached his present position and what he hoped to achieve in the future. The preface furnishes an excellent overall introduction to Camus's work tracing, as it does, his inner development, revealing the patterns of a sensibility in search of an adequate expression. It is clear that, for Camus, art is not an alibi. Thought, action, and artistic expression are inseparable in his eyes. "Je ne puis vivre personnellement sans mon art," he said in his Nobel Prize acceptance speech. "Mais je n'ai jamais placé cet art au-dessus de tout. L'art n'est pas à mes yeux une réjouissance solitaire. Il est un moyen d'émouvoir le plus grand nombre d'hommes en leur offrant une image privilégiée des souffrances et des joies communes. ... Le rôle de l'écrivain du même coup ne se sépare pas de devoirs difficiles. ... Quelles que soient nos infirmités personnelles, la noblesse de notre métier s'enracinera toujours dans deux engagements difficiles à maintenir: le refus de mentir sur ce que l'on sait et la résistance à l'oppression."

Les essais qui sont réunis dans ce volume ont été écrits en 1935 et 1936 (j'avais alors vingt-deux ans) et publiés un an après, en Algérie, à un très petit nombre d'exemplaires.

Cette édition est depuis longtemps introuvable et j'ai toujours refusé la réimpression de *L'Envers et l'endroit*.

Mon obstination n'a pas de raisons mystérieuses. Je ne renie rien de ce qui est exprimé dans ces écrits, mais leur forme m'a toujours paru maladroite. Les préjugés que je nourris malgré moi sur l'art (je m'en expliquerai plus loin) m'ont empêché longtemps d'envisager leur réédition. Grande vanité, apparemment, et qui laisserait supposer que mes autres écrits satisfont à toutes les exigences. Ai-je besoin de préciser qu'il n'en est rien? Je suis seulement plus sensible aux maladresses de *L'Envers et l'endroit* qu'à d'autres, que je n'ignore pas. Comment l'expliquer sinon en reconnaissant que les premières intéressent, et trahissent[1] un peu, le sujet qui me tient le plus à cœur? La question de sa valeur littéraire étant réglée, je puis avouer, en effet, que la valeur de témoignage de ce petit livre est, pour moi, considérable. Je dis bien pour moi, car c'est devant moi qu'il témoigne, c'est de moi qu'il exige une fidélité dont je suis seul à connaître la profondeur et les difficultés. Je voudrais essayer de dire pourquoi.

Brice Parain[2] prétend souvent que ce petit livre contient ce que j'ai écrit de meilleur. Parain se trompe. Je ne le dis pas, connaissant sa loyauté, à cause de cette impatience qui vient à tout artiste devant ceux qui ont l'impertinence de préférer ce qu'il a été à ce qu'il est. Non, il se trompe parce qu'à vingt-deux ans, sauf génie, on sait à peine écrire. Mais je comprends ce que Parain, savant ennemi de l'art et philosophe de la compassion, veut dire. Il veut dire, et il a raison, qu'il y a plus de véritable amour dans ces pages maladroites que dans toutes celles qui ont suivi.

Chaque artiste garde ainsi, au fond de lui, une source unique qui alimente pendant sa vie ce qu'il est et ce qu'il dit. Quand la source est tarie, on voit peu à peu l'œuvre se racornir, se fendiller.[3] Ce sont les terres ingrates de l'art que le courant invisible n'irrigue plus. Le cheveu devenu rare et sec, l'artiste, couvert de chaumes,[4] est mûr pour le silence, ou les salons, qui reviennent au même. Pour moi, je sais que ma source est dans *L'Envers et l'endroit*, dans ce monde de pauvreté et de lumière où j'ai longtemps vécu et dont le souvenir me préserve encore des deux dangers contraires qui menacent tout artiste, le ressentiment et la satisfaction.

La pauvreté, d'abord, n'a jamais été un malheur pour moi: la lumière y répandait ses richesses. Même mes révoltes en ont été éclairées. Elles furent presque toujours, je crois pouvoir le dire sans tricher,[5] des révoltes pour tous, et pour que la vie de tous soit élevée dans la lumière. Il n'est pas sûr que mon cœur fût naturellement disposé à cette sorte d'amour. Mais les circonstances m'ont aidé. Pour corriger une indifférence naturelle, je fus placé à mi-distance de la misère et du soleil. La misère m'empêcha de croire que tout est bien sous le soleil et dans l'histoire; le soleil m'apprit que l'histoire n'est pas tout. Changer la vie, oui, mais non le monde dont je faisais ma divinité.[6] C'est ainsi, sans doute, que j'abordai cette carrière inconfortable où je suis, m'engageant avec innocence sur un fil d'équilibre[7] où j'avance péniblement, sans être sûr d'atteindre le but. Autrement dit, je devins un artiste, s'il est vrai qu'il n'est pas d'art sans refus ni sans consentement.

Dans tous les cas, la belle chaleur qui régnait sur mon enfance m'a privé de tout ressentiment. Je vivais dans la gêne,[8] mais aussi dans une sorte de jouissance. Je me sentais des forces infinies: il fallait seulement leur trouver un point d'application. Ce n'était pas la pauvreté qui faisait obstacle à ces forces: en Afrique, la mer et le soleil ne coûtent rien. L'obstacle était plutôt dans les préjugés ou la bêtise. J'avais là toutes les occasions de développer une « castillanerie »[9] qui m'a fait bien du tort, que raille avec raison mon ami et mon maître Jean Grenier,[10] et que j'ai essayé en vain de corriger, jusqu'au moment où j'ai compris qu'il y avait aussi une fatalité des natures. Il valait mieux alors accepter son propre orgueil et tâcher de le faire servir plutôt que de se donner, comme dit Chamfort,[11] des principes plus forts que son caractère. Mais, après m'être interrogé, je puis témoigner que, parmi mes nombreuses faiblesses, n'a jamais figuré le défaut le plus répandu parmi nous, je veux dire l'envie, véritable cancer des sociétés et des doctrines.

Le mérite de cette heureuse immunité ne me revient pas.[12] Je la dois aux miens, d'abord, qui manquaient de presque tout et n'enviaient à peu près rien. Par son seul silence, sa réserve, sa fierté naturelle et sobre, cette famille, qui ne savait même pas lire, m'a donné alors mes plus hautes leçons, qui durent toujours. Et puis, j'étais moi-même trop occupé à sentir pour rêver d'autre chose. Encore maintenant, quand je vois la vie d'une grande fortune à Paris, il y a de la compassion dans l'éloignement qu'elle m'inspire souvent. On trouve dans le monde beaucoup d'injustices, mais il en est une dont on ne parle jamais, qui est celle du climat. De cette injustice-là, j'ai été longtemps, sans le savoir, un des profiteurs. J'entends d'ici les accusations de nos féroces philanthropes,[13] s'ils me lisaient. Je veux faire passer les ouvriers pour riches et les bourgeois pour pauvres, afin de conserver plus longtemps l'heureuse servitude des uns et la puissance des autres. Non, ce n'est pas cela. Au contraire, lorsque la pauvreté se conjugue[14] avec cette vie sans ciel ni espoir qu'en arrivant à l'âge d'homme j'ai découverte dans les horribles faubourgs de nos villes, alors l'injustice dernière, et la plus révoltante, est consommée: il faut tout faire, en effet, pour que ces hommes échappent à la double humiliation de la misère et de la laideur. Né pauvre, dans un quartier ouvrier, je ne savais pourtant pas ce qu'était le vrai malheur avant de connaître nos banlieues froides. Même l'extrême misère arabe ne peut s'y comparer, sous la différence des ciels. Mais une fois qu'on a connu les faubourgs industriels, on se sent à jamais souillé, je crois, et responsable de leur existence.

Ce que j'ai dit ne reste pas moins vrai. Je rencontre parfois des gens qui vivent au milieu de fortunes que je ne peux même pas imaginer. Il me faut cependant un effort pour comprendre qu'on puisse envier ces fortunes. Pendant huit jours, il y a longtemps, j'ai vécu comblé des biens de ce monde: nous dormions sans toit, sur une plage, je me nourrissais de fruits et je passais la moitié de mes journées dans une eau déserte. J'ai appris à cette époque une vérité qui m'a toujours poussé à recevoir les signes du confort, ou de l'installation, avec ironie, impatience, et quelquefois avec fureur. Bien que je vive maintenant sans le souci du lendemain, donc en privilégié, je ne sais pas posséder. Ce que j'ai, et qui m'est toujours offert sans que je l'aie recherché, je ne puis rien en garder. Moins par prodigalité, il me semble, que par une autre sorte de parcimonie: je suis avare de cette liberté qui disparaît dès que commence l'excès des biens. Le plus grand des luxes n'a jamais cessé de coïncider pour moi avec un certain dénuement.[15] J'aime la maison nue des Arabes ou des Espagnols. Le lieu où je préfère vivre et travailler (et, chose plus rare, où il me serait égal de mourir) est la chambre d'hôtel. Je n'ai jamais pu m'abandonner à ce qu'on appelle la vie d'intérieur[16] (qui est si souvent le contraire de la vie intérieure); le bonheur dit bourgeois m'ennuie et m'effraie. Cette inaptitude n'a du reste rien de glorieux; elle n'a pas peu contribué à alimenter mes mauvais défauts. Je n'envie rien, ce qui est mon droit, mais je ne pense pas toujours aux envies des autres et cela m'ôte de l'imagination, c'est-à-dire de la bonté. Il est vrai que je me suis fait une maxime pour mon usage personnel: « Il faut mettre ses principes dans les grandes choses, aux petites la miséricorde suffit. » Hélas! on se fait des maximes pour combler les trous de sa propre nature. Chez moi, la miséricorde dont je parle s'appelle plutôt indifférence. Ses effets, on s'en doute,[17] sont moins miraculeux.

Mais je veux seulement souligner que la pauvreté ne suppose pas forcément l'envie. Même plus tard, quand une grave maladie m'ôta provisoirement la force de vie qui, en moi, transfigurait tout, malgré les infirmités invisibles et les nouvelles faiblesses que j'y trouvais, je pus connaître la peur et le découragement, jamais l'amertume. Cette maladie sans doute ajoutait d'autres entraves,[18] et les plus dures, à celles qui étaient déjà les miennes. Elle favorisait finalement cette liberté du cœur, cette légère distance à l'égard des intérêts humains qui m'a toujours préservé du ressentiment. Ce privilège, depuis que je vis à Paris, je sais qu'il est royal. Mais j'en ai joui sans limites ni remords et, jusqu'à présent du moins, il a éclairé toute ma vie. Artiste, par exemple, j'ai commencé à vivre dans l'admiration, ce qui, dans un sens, est le paradis terrestre. (On sait qu'aujourd'hui l'usage, en France, pour débuter dans les lettres, et même pour y finir, est au contraire de choisir un artiste à railler.)

De même, mes passions d'homme n'ont jamais été « contre ». Les êtres que j'ai aimés ont toujours été meilleurs et plus grands que moi. La pauvreté telle que je l'ai vécue ne m'a donc pas enseigné le ressentiment, mais une certaine fidélité, au contraire, et la ténacité muette. S'il m'est arrivé de l'oublier, moi seul ou mes défauts en sommes responsables, et non le monde où je suis né.

C'est aussi le souvenir de ces années qui m'a empêché de me trouver jamais satisfait dans l'exercice de mon métier. Ici, je voudrais parler, avec autant de simplicité que je le puis, de ce que les écrivains taisent généralement. Je n'évoque même pas la satisfaction que l'on trouve, paraît-il, devant le livre ou la page réussis. Je ne sais si beaucoup d'artistes la connaissent. Pour moi, je ne crois pas avoir jamais tiré une joie de la relecture d'une page terminée. J'avouerai même, en acceptant d'être pris au mot, que le succès de quelques-uns de mes livres m'a toujours surpris. Bien entendu, on s'y habitue, et assez vilainement. Aujourd'hui encore, pourtant, je me sens un apprenti auprès d'écrivains vivants à qui je donne la place de leur vrai mérite, et dont l'un des premiers est celui à qui ces essais furent dédiés, il y a déjà vingt ans.* L'écrivain a, naturellement, des joies pour lesquelles il vit et qui suffisent à le combler. Mais, pour moi, je les rencontre au moment de la conception, à la seconde où le sujet se révèle, où l'articulation de l'œuvre se dessine devant la sensibilité soudain clairvoyante, à ces moments délicieux où l'imagination se confond tout à fait avec l'intelligence. Ces instants passent comme ils sont nés. Reste l'exécution, c'est-à-dire une longue peine.

Sur un autre plan, un artiste a aussi des joies de vanité. Le métier d'écrivain, particulièrement dans la société française, est en grande partie un métier de vanité. Je le dis d'ailleurs sans mépris, à peine avec regret. Je ressemble aux autres sur ce point; qui peut se dire dénué de cette ridicule infirmité? Après tout, dans une société vouée à l'envie et à la dérision, un jour vient toujours où, couverts de brocards,[19] nos écrivains payent durement ces pauvres joies. Mais justement, en vingt années de vie littéraire, mon métier m'a

* Jean Grenier.

apporté bien peu de joies semblables, et de moins en moins à mesure que le temps passait.

N'est-ce pas le souvenir des vérités entrevues dans *L'Envers et l'endroit* qui m'a toujours empêché d'être à l'aise dans l'exercice public de mon métier et qui m'a conduit à tant de refus qui ne m'ont pas toujours fait des amis? A ignorer[20] le compliment ou l'hommage, en effet, on laisse croire au complimenteur qu'on le dédaigne alors qu'on ne doute que de soi. De même, si j'avais montré ce mélange d'âpreté et de complaisance qui se rencontre dans la carrière littéraire, si même j'avais exagéré ma parade,[21] comme tant d'autres, j'aurais reçu plus de sympathies car, enfin, j'aurais joué le jeu. Mais qu'y faire, ce jeu ne m'amuse pas! L'ambition de Rubempré ou de Julien Sorel[22] me déconcerte souvent par sa naïveté, et sa modestie. Celle de Nietzsche, de Tolstoï ou de Melville,[23] me bouleverse, et en raison même de leur échec. Dans le secret de mon cœur, je ne me sens d'humilité que devant les vies les plus pauvres ou les grandes aventures de l'esprit. Entre les deux se trouve aujourd'hui une société qui fait rire.

Parfois, dans ces « premières » de théâtre, qui sont le seul lieu où je rencontre ce qu'on appelle avec insolence le Tout-Paris,[24] j'ai l'impression que la salle va disparaître, que ce monde, tel qu'il semble, n'existe pas. Ce sont les autres qui me paraissent réels, les grandes figures qui crient sur la scène. Pour ne pas fuir alors, il faut se souvenir que chacun de ces spectateurs a aussi un rendez-vous avec lui-même; qu'il le sait, et que, sans doute, il s'y rendra tout à l'heure. Aussitôt, le voici de nouveau fraternel: les solitudes réunissent ceux que la société sépare. Sachant cela, comment flatter ce monde, briguer[25] ses privilèges dérisoires, consentir à féliciter tous les auteurs de tous les livres, remercier ostensiblement le critique favorable, pourquoi essayer de séduire l'adversaire, de quelle figure surtout recevoir ces compliments et cette admiration dont la société française (en présence de l'auteur du moins, car, lui parti! ...)[26] use autant que du Pernod et de la presse du cœur?[27] Je n'arrive à rien de tout cela, c'est un fait. Peut-être y a-t-il là beaucoup de ce mauvais orgueil dont je connais en moi l'étendue et les pouvoirs. Mais, s'il y avait cela seulement, si ma vanité était seule à jouer, il me semble qu'au contraire je jouirais du compliment, superficiellement, au lieu d'y trouver un malaise répété. Non, la vanité que j'ai en commun avec les gens de mon état, je la sens réagir surtout à certaines critiques qui comportent une grande part de vérité. Devant le compliment, ce n'est pas la fierté qui me donne cet air cancre[28] et ingrat que je connais bien, mais (en même temps que cette profonde indifférence qui est en moi comme une infirmité de nature) un sentiment singulier qui me vient alors: « Ce n'est pas cela ... » Non, ce n'est pas cela et c'est pourquoi la réputation, comme on dit, est parfois si difficile à accepter qu'on trouve une sorte de mauvaise joie[29] à faire ce qu'il faut pour la perdre. Au contraire, relisant *L'Envers et l'endroit* après tant d'années, pour cette édition, je sais instinctivement devant certaines pages, et malgré les maladresses, que c'est cela. Cela, c'est-à-dire cette vieille femme, une mère silencieuse, la pauvreté, la lumière sur les oliviers d'Italie, l'amour solitaire et peuplé, tout ce qui témoigne, à mes propres yeux, de la vérité.

Depuis le temps où ces pages ont été écrites, j'ai vieilli et traversé beaucoup de choses. J'ai appris sur moi-même, connaissant mes limites, et presque toutes mes faiblesses. J'ai moins appris sur les êtres parce que ma curiosité va plus à leur destin qu'à leur réactions et que les destins se répètent beaucoup. J'ai appris du moins qu'ils existaient et que l'égoïsme, s'il ne peut se renier, doit essayer d'être clairvoyant. Jouir de soi est impossible; je le sais, malgré les grands dons qui sont les miens pour cet exercice. Si la solitude existe, ce que j'ignore, on aurait bien le droit, à l'occasion, d'en rêver comme d'un paradis. J'en rêve parfois, comme tout le monde. Mais deux anges tranquilles m'en ont toujours interdit l'entrée; l'un montre le visage de l'ami, l'autre la face de l'ennemi. Oui, je sais tout cela et j'ai appris encore ou à peu près, ce que coûtait l'amour. Mais sur la vie elle-même, je n'en sais pas plus que ce qui est dit, avec gaucherie, dans *L'Envers et l'endroit*.

« Il n'y a pas d'amour de vivre sans désespoir de vivre », ai-je écrit, non sans emphase, dans ces pages. Je ne savais pas à l'époque à quel point je disais vrai; je n'avais pas encore traversé les temps du vrai désespoir. Ces temps sont venus et ils ont pu tout détruire en moi, sauf justement l'appétit désordonné de vivre. Je souffre encore de cette passion à la fois féconde et destructrice qui éclate jusque dans les pages les plus sombres de *L'Envers et l'endroit*. Nous ne vivons vraiment que quelques heures de notre vie, a-t-on dit. Cela est vrai dans un sens, faux dans un autre. Car l'ardeur affamée qu'on sentira dans les essais qui suivent ne m'a jamais quitté et, pour finir, elle est la vie dans ce qu'elle a de pire et de meilleur. J'ai voulu sans doute rectifier ce qu'elle produisait de pire en moi. Comme tout le monde, j'ai essayé, tant bien que mal, de corriger ma nature par la morale. C'est, hélas! ce qui m'a coûté le plus cher. Avec de l'énergie, et j'en ai, on arrive parfois à se conduire selon la morale, non à être. Et rêver de morale quand on est un homme de passion, c'est se vouer à l'injustice, dans le temps même où l'on parle de justice. L'homme m'apparaît parfois comme une injustice en marche: je pense à moi. Si j'ai, à ce moment, l'impression de m'être trompé ou d'avoir menti dans ce que parfois j'écrivais, c'est que je ne sais comment faire connaître honnêtement mon injustice. Sans doute, je n'ai jamais dit que j'étais juste. Il m'est seulement arrivé de dire qu'il fallait essayer de l'être, et aussi que c'était une peine et un malheur. Mais la différence est-elle si grande? Et peut-il vraiment prêcher la justice celui qui n'arrive même pas à la faire régner dans sa vie? Si, du moins, on pouvait vivre selon l'honneur, cette vertu des injustes! Mais notre monde tient ce mot pour obscène; aristocrate fait partie des injures littéraires et philosophiques. Je ne suis pas aristocrate, ma réponse tient dans ce livre: voici les miens, mes maîtres, ma lignée;[30] voici, par eux, ce qui me réunit à tous. Et cependant, oui, j'ai besoin d'honneur, parce que je ne suis pas assez grand pour m'en passer!

Qu'importe! Je voulais seulement marquer que, si j'ai beaucoup marché depuis ce livre, je n'ai pas tellement progressé. Souvent, croyant avancer, je reculais. Mais, à la fin, mes fautes, mes ignorances et mes fidélités m'ont toujours ramené sur cet ancien chemin que j'ai commencé d'ouvrir avec *L'Envers et l'endroit,* dont on voit les traces dans tout ce que j'ai fait ensuite et sur lequel, certains matins d'Alger, par exemple, je marche toujours avec la même légère ivresse.

Pourquoi donc, s'il en est ainsi, avoir longtemps refusé de produire ce faible témoignage? D'abord parce qu'il y a en moi, il faut le répéter, des résistances artistiques, comme il y a, chez d'autres, des résistances morales ou religieuses. L'interdiction, l'idée que « cela ne se fait pas », qui m'est assez étrangère en tant que fils d'une libre nature, m'est présente en tant qu'esclave, et esclave admiratif, d'une tradition artistique sévère. Peut-être aussi cette méfiance vise-t-elle[31] mon anarchie profonde, et par là, reste utile. Je connais mon désordre, la violence de certains instincts, l'abandon sans grâce où je peux me jeter. Pour être édifiée,[32] l'œuvre d'art doit se servir d'abord de ces forces obscures de l'âme. Mais non sans les canaliser, les entourer de digues, pour que leur flot monte, aussi bien. Mes digues, aujourd'hui encore, sont peut-être trop hautes. De là, cette raideur, parfois. ... Simplement, le jour où l'équilibre s'établira entre ce que je suis et ce que je dis, ce jour-là, peut-être, et j'ose à peine l'écrire, je pourrai bâtir l'œuvre dont je rêve. Ce que j'ai voulu dire ici, c'est qu'elle ressemblera à *L'Envers et l'endroit,* d'une façon ou de l'autre, et qu'elle parlera d'une certaine forme d'amour. On comprend alors la deuxième raison que j'ai eue de garder pour moi ces essais de jeunesse. Les secrets qui nous sont les plus chers, nous les livrons trop dans la maladresse et le désordre; nous les trahissons, aussi bien, sous un déguisement trop apprêté.[33] Mieux vaut attendre d'être expert à leur donner une forme, sans cesser de faire entendre leur voix, de savoir unir à doses à peu près égales le naturel et l'art; d'être enfin. Car c'est être que de tout pouvoir en même temps. En art, tout vient simultanément ou rien ne vient; pas de lumières sans flammes. Stendhal s'écriait un jour: « Mais mon âme à moi est un feu qui souffre, s'il ne flambe pas. » Ceux qui lui ressemblent sur ce point ne devraient créer que dans cette flambée. Au sommet de la

flamme, le cri sort tout droit et crée ses mots qui le
répercutent à leur tour. Je parle ici de ce que nous tous,
artistes incertains de l'être, mais sûrs de ne pas être autre
chose, attendons, jour après jour, pour consentir enfin à
vivre.

Pourquoi donc, puisqu'il s'agit de cette attente, et probablement vaine, accepter aujourd'hui cette publication?
D'abord parce que des lecteurs ont su trouver l'argument
qui m'a convaincu.* Et puis un temps vient toujours dans
la vie d'un artiste où il doit faire le point,[34] se rapprocher
de son propre centre, pour tâcher ensuite de s'y maintenir.
C'est ainsi aujourd'hui et je n'ai pas besoin d'en dire plus.
Si, malgré tant d'efforts pour édifier un langage et faire
vivre des mythes, je ne parviens pas un jour à récrire
L'Envers et l'endroit, je ne serai jamais parvenu à rien,
voilà ma conviction obscure. Rien ne m'empêche en tout
cas de rêver que j'y réussirai, d'imaginer que je mettrai
encore au centre de cette œuvre l'admirable silence d'une
mère et l'effort d'un homme pour retrouver une justice ou
un amour qui équilibre ce silence. Dans le songe de la
vie, voici l'homme qui trouve ses vérités et qui les perd,
sur la terre de la mort, pour revenir à travers les guerres,
les cris, la folie de justice et d'amour, la douleur enfin,
vers cette patrie tranquille où la mort même est un silence
heureux. Voici encore ... Oui, rien n'empêche de rêver, à
l'heure même de l'exil, puisque du moins je sais cela, de
science certaine, qu'une œuvre d'homme n'est rien d'autre
que ce long cheminement pour retrouver par les détours
de l'art les deux ou trois images simples et grandes sur
lesquelles le cœur, une première fois, s'est ouvert. Voilà
pourquoi, peut-être, après vingt années de travail et de
production, je continue de vivre avec l'idée que mon œuvre
n'est même pas commencée. Dès l'instant où, à l'occasion
de cette réédition, je me suis retourné vers les premières
pages que j'ai écrites, c'est cela, d'abord, que j'ai eu envie
de consigner[35] ici.

---

* Il est simple. « Ce livre existe déjà, mais à un petit nombre d'exemplaires, vendus chèrement par des libraires. Pourquoi seuls les lecteurs riches
auraient-ils le droit de le lire? » En effet, pourquoi?

L'Ironie

"L'Ironie" is the first of five essays which together make up L'Envers et l'endroit. Three short scenes are described by an onlooker, young Camus himself. Each reveals the painful irony at work in situations both stark and moving. The old woman in the first short sketch tries to persuade herself that she has nothing to fear but she is really lonely and afraid. The old man in the second does his best to put on a brave show, but in vain. In the third sketch Camus recalls the death of the grandmother he hated and feared and who, unlovely and unloving as she was, nonetheless faced death stoically. In spite of the studied restraint of the writing, these brief vignettes show how deeply Camus felt for the helpless and baffled human beings he observed. Already against the backdrop of an alien natural and social order, each self is seen as apart, alone. The young writer is already keenly aware that this isolation is one of the crucial zones of shadow in our modern sensibility. His aim is to give us a glimpse of these other lives rather than to project upon them his own personality.

Il y a deux ans, j'ai connu une vieille femme. Elle souffrait d'une maladie dont elle avait bien cru mourir. Tout son côté droit avait été paralysé. Elle n'avait qu'une moitié d'elle en ce monde quand l'autre lui était déjà étrangère. Petite vieille remuante[36] et bavarde, on l'avait réduite au silence et à l'immobilité. Seule de longues journées, illettrée, peu sensible,[37] sa vie entière se ramenait à Dieu. Elle croyait en lui. Et la preuve est qu'elle avait un chapelet, un christ de plomb et, en stuc,[38] un saint Joseph portant l'Enfant. Elle doutait que sa maladie fût incurable, mais l'affirmait pour qu'on s'intéressât à elle, s'en remettant du reste au Dieu[39] qu'elle aimait si mal.

Ce jour-là, quelqu'un s'intéressait à elle. C'était un jeune homme. (Il croyait qu'il y avait une vérité et savait par ailleurs que cette femme allait mourir, sans s'inquiéter de résoudre cette contradiction.) Il avait pris un véritable intérêt à l'ennui de la vieille femme. Cela, elle l'avait bien senti. Et cet intérêt était une aubaine[40] inespérée pour la malade. Elle lui disait ses peines avec animation: elle était au bout de son rouleau,[41] et il faut bien laisser la place aux jeunes. Si elle s'ennuyait? Cela était sûr. On ne lui parlait pas. Elle était dans son coin, comme un chien. Il valait mieux en finir. Parce qu'elle aimait mieux mourir que d'être à la charge de quelqu'un.[42]

Sa voix était devenue querelleuse. C'était une voix de marché, de marchandage. Pourtant, ce jeune homme comprenait. Il était d'avis cependant qu'il valait mieux être à la charge des autres que mourir. Mais cela ne prouvait qu'une chose: que, sans doute, il n'avait jamais été à la charge de personne. Et précisément il disait à la vieille femme — parce qu'il avait vu le chapelet: « Il vous reste le bon Dieu. » C'était vrai. Mais même à cet égard, on l'ennuyait encore.[43] S'il lui arrivait de[44] rester un long moment en prière, si son regard se perdait dans quelque motif de la tapisserie, sa fille disait: « La voilà encore qui prie![45] — Qu'est-ce que ça peut te faire? disait la malade. — Ça ne me fait rien, mais ça m'énerve à la fin. » Et la vieille se taisait, en attachant sur sa fille un long regard chargé de reproches.

Le jeune homme écoutait tout cela avec une immense peine inconnue qui le gênait dans la poitrine.[46] Et la vieille disait encore: « Elle verra bien quand elle sera vieille. Elle aussi en aura besoin! »

On sentait cette vieille femme libérée de tout, sauf de Dieu, livrée tout entière à ce mal dernier, vertueuse par nécessité, persuadée trop aisément que ce qui lui restait était le seul bien digne d'amour, plongée enfin, et sans retour, dans la misère de l'homme en Dieu. Mais que l'espoir de vie renaisse et Dieu n'est pas de force[47] contre les intérêts de l'homme.

On s'était mis à table. Le jeune homme avait été invité au dîner. La vieille ne mangeait pas, parce que les aliments sont lourds le soir. Elle était restée dans son coin, derrière le dos de celui qui l'avait écoutée. Et de se sentir observé, celui-ci mangeait mal. Cependant, le dîner avançait. Pour prolonger cette réunion, on décida d'aller au cinéma. On passait justement un film gai. Le jeune homme avait étourdiment accepté, sans penser à l'être qui continuait d'exister dans son dos.

Les convives s'étaient levés pour aller se laver les mains, avant de sortir. Il n'était pas question, évidemment, que la vieille femme vînt aussi.[48] Quand elle n'aurait pas été impotente,[49] son ignorance l'aurait empêchée de comprendre le film. Elle disait ne pas aimer le cinéma. Au vrai, elle ne comprenait pas. Elle était dans son coin, d'ailleurs, et prenait un grand intérêt vide aux grains de son chapelet. Elle mettait en lui toute sa confiance. Les trois objets qu'elle conservait marquaient pour elle le point matériel où commençait le divin. A partir du chapelet, du christ ou du saint Joseph, derrière eux, s'ouvrait un grand noir profond où elle plaçait tout son espoir.

Tout le monde était prêt. On s'approchait de la vieille femme pour l'embrasser et lui souhaiter un bon soir. Elle avait déjà compris et serrait avec force son chapelet. Mais il paraissait bien que ce geste pouvait être autant de désespoir que de ferveur. On l'avait embrassée. Il ne restait que le jeune homme. Il avait serré la main de la femme avec affection et se retournait déjà. Mais l'autre[50] voyait partir celui qui s'était intéressé à elle. Elle ne voulait pas être seule. Elle sentait déjà l'horreur de sa solitude, l'insomnie prolongée, le tête-à-tête décevant avec Dieu. Elle avait peur, ne se reposait plus qu'en l'homme, et se rattachant au seul être qui lui eût marqué de l'intérêt,[51] ne lâchait pas sa main, la serrait, le remerciant maladroitement pour justifier cette insistance. Le jeune homme était gêné. Déjà, les autres se retournaient pour l'inviter à plus de hâte. Le spectacle commençait à neuf heures et il valait mieux arriver un peu tôt pour ne pas attendre au guichet.

Lui se sentait placé devant le plus affreux malheur qu'il eût encore connu: celui d'une vieille femme infirme qu'on abandonne pour aller au cinéma. Il voulait partir et se dérober,[52] ne voulait pas savoir, essayait de retirer sa main. Une seconde durant, il eut une haine féroce pour cette vieille femme et pensa la gifler à toute volée.[53]

Il put enfin se retirer et partir pendant que la malade, à demi soulevée dans son fauteuil, voyait avec horreur s'évanouir la seule certitude en laquelle elle eût pu reposer. Rien ne la protégeait maintenant. Et livrée tout entière à la pensée de sa mort, elle ne savait pas exactement ce qui l'effrayait, mais sentait qu'elle ne voulait pas être seule. Dieu ne lui servait de rien, qu'à l'ôter aux[54] hommes et à la rendre seule. Elle ne voulait pas quitter les hommes. C'est pour cela qu'elle se mit à pleurer.

Les autres étaient déjà dans la rue. Un tenace remords travaillait[55] le jeune homme. Il leva les yeux vers la fenêtre éclairée, gros œil mort dans la maison silencieuse. L'œil se ferma. La fille de la vieille femme malade dit au jeune homme: « Elle éteint toujours la lumière quand elle est seule. Elle aime rester dans le noir. »

Ce vieillard triomphait, rapprochait les sourcils, secouait un index sentencieux. Il disait: « Moi, mon père me donnait cinq francs sur ma semaine pour m'amuser jusqu'au samedi d'après. Eh bien, je trouvais encore le moyen de mettre des sous de côté. D'abord, pour aller voir ma fiancée, je faisais en pleine campagne quatre kilomètres pour aller et quatre kilomètres pour revenir. Allez, allez, c'est moi qui vous le dis, la jeunesse d'aujourd'hui ne sait plus s'amuser. » Ils étaient autour d'une table ronde, trois jeunes, lui vieux. Il contait ses pauvres aventures: des niaiseries mises très haut, des lassitudes qu'il célébrait comme des victoires. Il ne ménageait pas de silences dans son récit,[56] et, pressé de tout dire avant d'être quitté, il retenait de son passé ce qu'il pensait propre à toucher ses auditeurs. Se faire écouter était son seul vice: il se refusait à voir l'ironie des regards et la brusquerie moqueuse dont on l'accablait.[57] Il était pour eux le vieillard dont on sait que tout allait bien de son temps, quand il croyait être l'aïeul respecté dont l'expérience fait poids.[58] Les jeunes ne savent pas que l'expérience est une défaite et qu'il faut tout perdre pour savoir un peu. Lui avait souffert. Il n'en disait rien. Ça fait mieux de paraître heureux. Et puis, s'il avait tort en cela, il se serait trompé plus lourdement en voulant au contraire toucher par ses malheurs. Qu'importent les souffrances d'un vieil homme quand la vie vous occupe tout entier? Il parlait, parlait, s'égarait avec délices dans la grisaille de sa voix assourdie.[59] Mais cela ne pouvait durer. Son plaisir commandait une fin[60] et l'attention de ses auditeurs déclinait. Il n'était même plus amusant; il était vieux. Et les jeunes aiment le billard et les cartes qui ne ressemblent pas au travail imbécile de chaque jour.

Il fut bientôt seul, malgré ses efforts et ses mensonges pour rendre son récit plus attrayant. Sans égards,[61] les jeunes étaient partis. De nouveau seul. N'être plus écouté: c'est cela qui est terrible lorsqu'on est vieux. On le condamnait au silence et à la solitude. On lui signifiait[62] qu'il allait bientôt mourir. Et un vieil homme qui va mourir est inutile, même gênant et insidieux. Qu'il s'en aille. A défaut,[63] qu'il se taise: c'est le moindre des égards. Et lui souffre parce qu'il ne peut se taire sans penser qu'il est vieux. Il se leva pourtant et partit en souriant à tout le monde autour de lui. Mais il ne rencontra que des visages indifférents ou secoués d'une gaîté à laquelle il n'avait pas le droit de participer. Un homme riait: « Elle est vieille, je dis pas, mais des fois, c'est dans les vieilles marmites qu'on fait les meilleures soupes. » Un autre déjà plus grave: « Nous autres, on n'est pas riche, mais on mange bien. Tu vois mon petit-fils, plus que son père il mange.[64] Son père, il lui faut une livre de pain, lui un kilog[65] il lui faut! Et vas-y[66] le saucisson, vas-y le camembert. Des fois qu'il[67] a fini, il dit: « Han! Han! » et il mange encore. » Le vieux s'éloigna. Et de son pas lent, un petit pas d'âne au labeur, il parcourut les longs trottoirs

dans son cœur, un grand élan d'amour pour cette mère qui se taisait toujours. Ou alors, lorsque les visiteurs s'étonnaient de cette préférence, la mère disait: « C'est que c'est elle qui l'a élevé. »[85]

C'est aussi que la vieille femme croyait que l'amour est une chose qu'on exige. Elle tirait de sa conscience de bonne mère de famille une sorte de rigidité et d'intolérance. Elle n'avait jamais trompé son mari et lui avait fait neuf enfants. Après sa mort, elle avait élevé sa petite famille avec énergie. Partis de leur ferme de banlieue, ils avaient échoué[86] dans un vieux quartier pauvre qu'ils habitaient depuis longtemps.

Et certes, cette femme ne manquait pas de qualités. Mais, pour ses petits-fils qui étaient à l'âge des jugements absolus, elle n'était qu'une comédienne. Ils tenaient ainsi d'un de leurs oncles une histoire significative. Ce dernier,[87] venant rendre visite à sa belle-mère, l'avait aperçue, inactive, à la fenêtre. Mais elle l'avait reçu un chiffon à la main, et s'était excusée de continuer son travail à cause du peu de temps que lui laissaient les soins du ménage.[88] Et il faut bien avouer que tout était ainsi. C'est avec beaucoup de facilité qu'elle s'évanouissait au sortir d'une discussion de famille. Elle souffrait aussi de vomissements pénibles dus à une affection du foie.[89] Mais elle n'apportait aucune discrétion dans l'exercice de sa maladie. Loin de s'isoler, elle vomissait avec fracas dans le bidon d'ordures[90] de la cuisine. Et revenue parmi les siens, pâle, les yeux pleins de larmes d'effort, si on la suppliait de se coucher, elle rappelait la cuisine qu'elle avait à faire et la place qu'elle tenait dans la direction de la maison: « C'est moi qui fais tout ici. » Et encore: « Qu'est-ce que vous deviendriez si je disparaissais! »

Les enfants s'habituèrent à ne pas tenir compte de ses vomissements, de ses « attaques » comme elle disait, ni de ses plaintes. Elle s'alita[91] un jour et réclama le médecin. On le fit venir pour lui complaire.[92] Le premier jour, il décela un simple malaise, le deuxième un cancer du foie, et le troisième, un ictère grave.[93] Mais le plus jeune des deux enfants s'entêtait[94] à ne voir là qu'une nouvelle comédie, une simulation plus raffinée. Il n'était pas inquiet. Cette femme l'avait trop opprimé pour que ses premières vues puissent être pessimistes. Et il y a une sorte de courage désespéré dans la lucidité et le refus d'aimer. Mais à jouer la maladie, on peut effectivement la ressentir: la grand-mère poussa la simulation jusqu'à la mort. Le dernier jour, assistée de ses enfants, elle se délivrait de ses fermentations d'intestin. Avec simplicité, elle s'adressa à son petit-fils: « Tu vois, dit-elle, je pète[95] comme un petit cochon. » Elle mourut une heure après.

Son petit-fils, il le sentait bien maintenant, n'avait rien compris à la chose. Il ne pouvait se délivrer de l'idée que s'était jouée devant lui la dernière et la plus monstrueuse des simulations de cette femme. Et s'il s'interrogeait sur la peine qu'il ressentait, il n'en décelait aucune. Le jour de l'enterrement seulement, à cause de l'explosion générale des larmes, il pleura, mais avec la crainte de ne pas être sincère et de mentir devant la mort. C'était par une belle journée d'hiver, traversée de rayons. Dans le bleu du ciel, on devinait le froid tout pailleté de jaune.[96] Le cimetière dominait la ville et on pouvait voir le beau soleil transparent tomber sur la baie tremblante de lumière, comme une lèvre humide.

Tout ça ne se concilie pas?[97] La belle vérité. Une femme qu'on abandonne pour aller au cinéma, un vieil homme qu'on n'écoute plus, une mort qui ne rachète rien et puis, de l'autre côté, toute la lumière du monde. Qu'est-ce que ça fait, si on accepte tout? Il s'agit de trois destins semblables et pourtant différents. La mort pour tous, mais à chacun sa mort. Après tout, le soleil nous chauffe quand même les os.

Noces

L'Eté à Alger

With L'Envers et l'endroit, Noces *set the stage for Camus's long meditation on what a man's life really means when it is stripped of all the clichés we use about it. In this context "absurd" does not mean ridiculous, but rather incomprehensible, beyond the grasp of our common sense and reason. The glory of life enhanced by the beauty of the Mediterranean is counterweighted by the essential loneliness of human beings confronted with evil and the death that inexplicably lurks in wait for all. These two slim volumes were closely connected with a first novel Camus was writing which was never published. First entitled* La Vie heureuse, *then* La Mort heureuse, *it attempted to describe an individual's eventual triumph over the crippling sense of imprisonment in an "absurd" fate. "Qu'est-ce que le bonheur," Camus wrote in the concluding pages of* Noces, *"sinon le simple accord entre un être et l'existence qu'il mène. Et quel accord plus légitime peut unir l'homme à la vie sinon la double conscience de son désir de durée et son destin de mort" (p. 94).* La Mort heureuse *attempted to portray a young man's discovery of this form of happiness. In a much simpler vein, "L'Eté à Alger" reflects the sunlit side of Camus's life, the source of the "invincible summer" in himself which nothing could destroy.*

Ce sont souvent des amours secrètes, celles qu'on partage avec une ville. Des cités comme Paris, Prague, et même Florence sont refermées sur elles-mêmes et limitent ainsi le monde qui leur est propre. Mais Alger, et avec elle certains lieux privilégiés comme les villes sur la mer, s'ouvre dans le ciel comme une bouche ou une blessure. Ce qu'on peut aimer à Alger, c'est ce dont tout le monde vit: la mer au tournant de chaque rue, un certain poids de soleil, la beauté de la race. Et, comme toujours, dans cette impudeur et cette offrande se retrouve un parfum plus secret. A Paris, on peut avoir la nostalgie d'espace et de battements d'ailes. Ici, du moins, l'homme est comblé,[1] et assuré de ses désirs, il peut alors mesurer ses richesses.

Il faut sans doute vivre longtemps à Alger pour comprendre ce que peut avoir de desséchant un excès de biens naturels. Il n'y a rien ici pour qui voudrait apprendre, s'éduquer ou devenir meilleur. Ce pays est sans leçons. Il ne promet ni ne fait entrevoir. Il se contente de donner, mais à profusion. Il est tout entier livré aux yeux et on le connaît dès l'instant où l'on en jouit. Ses plaisirs n'ont pas de remèdes, et ses joies restent sans espoir. Ce qu'il exige, ce sont des âmes clairvoyantes, c'est-à-dire sans consolation. Il demande qu'on fasse un acte de lucidité comme on fait un acte de foi. Singulier pays qui donne à l'homme qu'il nourrit à la fois sa splendeur et sa misère! La richesse sensuelle dont un homme sensible de ces pays est pourvu, il n'est pas étonnant qu'elle coïncide avec le dénuement le plus extrême. Il n'est pas une vérité qui ne porte avec elle son amertume. Comment s'étonner alors si le visage de ce pays, je ne l'aime jamais plus qu'au milieu de ses hommes les plus pauvres?

Les hommes trouvent ici pendant toute leur jeunesse une vie à la mesure de[2] leur beauté. Et puis après, c'est la descente et l'oubli. Ils ont misé[3] sur la chair, mais ils savaient qu'ils devaient perdre. A Alger, pour qui est jeune et vivant, tout est refuge et prétexte à triomphes: la baie, le soleil, les jeux en rouge et blanc des terrasses vers la mer, les fleurs et les stades, les filles aux jambes fraîches. Mais pour qui a perdu sa jeunesse, rien où s'accrocher et pas un lieu où la mélancolie puisse se sauver d'elle-même. Ailleurs, les terrasses d'Italie, les cloîtres d'Europe ou le dessin des collines provençales, autant de places où l'homme peut fuir son humanité et se délivrer avec douceur de lui-même. Mais tout ici exige la solitude et le sang des hommes jeunes. Gœthe en mourant appelle la lumière et c'est un mot historique.[4] A Belcourt et à Bab-el-Oued, les vieillards sont assis au fond des cafés, écoutent les vantardises[5] de jeunes gens à cheveux plaqués.

Ces commencements et ces fins, c'est l'été qui nous les livre à Alger. Pendant ces mois, la ville est désertée. Mais les pauvres restent et le ciel. Avec les premiers, nous descendons ensemble vers le port et les trésors de l'homme: tiédeur de l'eau et les corps bruns des femmes. Le soir, gorgés de ces richesses, ils retrouvent la toile cirée[6] et la lampe à pétrole qui font tout le décor de leur vie.

*

A Alger, on ne dit pas « prendre un bain », mais « se taper un bain ».[7] N'insistons pas. On se baigne dans le port et l'on va se reposer sur des bouées.[8] Quand on passe près d'une bouée où se trouve déjà une jolie fille, on crie aux camarades: « Je te dis que c'est une mouette. » Ce sont là des joies saines. Il faut bien croire qu'elles constituent l'idéal de ces jeunes gens puisque la plupart continuent cette vie pendant l'hiver et tous les jours à midi se mettent nus au soleil pour un déjeuner frugal. Non qu'ils aient lu les prêches ennuyeux des naturistes, ces protestants de la chair (il y a une systématique[9] du corps qui est aussi exaspérante que celle de l'esprit). Mais c'est qu'ils sont « bien au soleil ». On ne mesurera jamais assez haut l'importance de cette coutume pour notre époque. Pour la première fois depuis deux mille ans, le corps a été mis nu sur des plages. Depuis vingt siècles, les hommes se sont attachés à rendre décentes l'insolence et la naïveté grecques, à diminuer la chair et compliquer l'habit. Aujourd'hui et par-dessus cette histoire, la course des jeunes gens sur les plages de la Méditerranée rejoint les gestes magnifiques des athlètes de Délos.[10] Et à vivre ainsi près des corps et par le corps, on s'aperçoit qu'il a ses nuances, sa vie et, pour hasarder un non-sens, une psychologie, qui lui est propre. L'évolution du corps comme celle de l'esprit a son histoire, ses retours, ses progrès et son déficit. Cette nuance seulement: la couleur. Quand on va pendant l'été aux bains du port, on prend conscience d'un passage simultané de toutes les peaux du blanc au doré, puis au brun, et pour finir à une couleur tabac qui est à la limite extrême de l'effort de transformation dont le corps est capable. Le port est dominé par le jeu de cubes blancs de la Kasbah.[11] Quand on est au niveau de l'eau, sur le fond blanc cru de la ville arabe, les corps déroulent une frise[12] cuivrée. Et, à mesure qu'on avance dans le mois d'août et que le soleil grandit, le blanc des maisons se fait plus aveuglant et les peaux prennent une chaleur plus sombre. Comment alors ne pas s'identifier à ce dialogue de la pierre et de la chair à la mesure du soleil et des saisons? Toute la matinée s'est passée en plongeons, en floraisons de rires parmi des gerbes d'eau, en longs coups de pagaie autour des cargos[13] rouges et noirs (ceux qui viennent de Norvège ont tous les parfums du bois; ceux qui arrivent d'Allemagne pleins de l'odeur des huiles; ceux qui font la côte[14] et sentent le vin et le vieux tonneau). A l'heure où le soleil déborde de tous les coins du ciel, le canoë orange chargé de corps bruns nous ramène dans une course folle. Et lorsque, le battement cadencé de la double pagaie aux ailes couleur de fruit suspendu brusquement, nous glissons longuement dans l'eau calme de la darse, comment n'être pas sûr que je mène à travers les eaux lisses une fauve[15] cargaison de dieux où je reconnais mes frères?

Mais à l'autre bout de la ville, l'été nous tend déjà en contraste ses autres richesses: je veux dire ses silences et son ennui. Ces silences n'ont pas tous la même qualité, selon qu'ils naissent de l'ombre ou du soleil. Il y a le silence de midi sur la place du Gouvernement.[16] A l'ombre des arbres qui la bordent des Arabes vendent pour cinq sous des verres de citronnade glacée parfumée à la fleur d'oranger. Leur appel: « Fraîche, fraîche » traverse la place déserte. Après leur cri, le silence retombe sous le soleil: dans la cruche du marchand, la glace se retourne et j'entends son petit bruit. Il y a le silence de la sieste. Dans les rues de la Marine, devant les boutiques crasseuses des coiffeurs, on peut le mesurer au mélodieux bourdonnement des mouches derrière les rideaux de roseaux creux. Ailleurs, dans les cafés maures[17] de la Kasbah, c'est le corps qui est silencieux, qui ne peut s'arracher à ces lieux, quitter le verre de thé et retrouver le temps avec les bruits de son sang. Mais il y a surtout le silence des soirs d'été.

Ces courts instants où la journée bascule[18] dans la nuit, faut-il qu'ils soient peuplés de signes et d'appels secrets pour qu'Alger en moi leur soit à ce point liée? Quand je suis quelque temps loin de ce pays, j'imagine ses crépuscules comme des promesses de bonheur. Sur les collines qui dominent la ville, il y a des chemins parmi les lentisques[19] et les oliviers. Et c'est vers eux qu'alors mon cœur se retourne. J'y vois monter des gerbes d'oiseaux noirs sur l'horizon vert. Dans le ciel, soudain vidé de son soleil, quelque chose se détend.[20] Tout un petit peuple de nuages rouges s'étire jusqu'à se résorber[21] dans l'air. Presque aussitôt après, la première étoile apparaît qu'on voyait se former et se durcir dans l'épaisseur du ciel. Et puis, d'un coup, dévorante, la nuit. Soirs fugitifs d'Alger, qu'ont-ils donc d'inégalable pour délier[22] tant de choses en moi? Cette douceur qu'ils me laissent aux lèvres, je n'ai pas le temps de m'en lasser qu'elle disparaît déjà dans la nuit. Est-ce le secret de sa persistance? La tendresse de ce pays est bouleversante et furtive. Mais dans l'instant où elle est là, le cœur du moins s'y abandonne tout entier. A la plage Padovani,[23] le dancing est ouvert tous les jours. Et dans cette immense boîte rectangulaire ouverte sur la mer dans toute sa longueur, la jeunesse pauvre du quartier danse jusqu'au soir. Souvent, j'attendais là une minute singulière. Pendant la journée, la salle est protégée par des auvents[24] de bois inclinés. Quand le soleil a disparu, on les relève. Alors, la salle s'emplit d'une étrange lumière verte, née du double coquillage du ciel et de la mer. Quand on est assis loin des fenêtres, on voit seulement le ciel et, en ombres chinoises, les visages des danseurs qui passent à tour de rôle.[25] Quelquefois, c'est une valse qu'on joue et, sur le fond vert, les profils noirs tournent alors avec obstination, comme ces silhouettes découpées qu'on fixe sur le plateau[26] d'un phonographe. La nuit vient vite ensuite et avec elle les lumières. Mais je ne saurais pas dire ce que je trouve de transportant et de secret à cet instant

subtil. Je me souviens du moins d'une grande fille magnifique qui avait dansé toute l'après-midi. Elle portait un collier
de jasmin sur sa robe bleue collante, que la sueur mouillait
depuis les reins jusqu'aux jambes. Elle riait en dansant et
renversait la tête. Quand elle passait près des tables, elle
laissait après elle une odeur mêlée de fleurs et de chair. Le
soir venu, je ne voyais plus son corps collé contre son
danseur, mais sur le ciel tournaient les taches alternées du
jasmin blanc et des cheveux noirs, et quand elle rejetait en
arrière sa gorge gonflée, j'entendais son rire et voyais le
profil de son danseur se pencher soudain. L'idée que je me
fais de l'innocence, c'est à des soirs semblables que je la
dois. En tout cas, ces êtres chargés de violence, j'apprends
à ne plus les séparer du ciel où leurs désirs tournoient.[27]

*

Dans les cinémas de quartier, à Alger, on vend quelquefois des pastilles de menthe qui portent, gravé en rouge, tout
ce qui est nécessaire à la naissance de l'amour: 1) des questions: « Quand m'épouserez-vous ? » ; « m'aimez-vous ? » ;
2) des réponses: « à la folie » ; « au printemps ». Après avoir
préparé le terrain, on les passe à sa voisine qui répond de
même ou se borne à faire la bête. A Belcourt, on a vu des
mariages se conclure ainsi et des vies entières s'engager sur
un échange de bonbons à la menthe. Et ceci dépeint bien
le peuple enfant de ce pays.

Le signe de la jeunesse, c'est peut-être une vocation magnifique pour les bonheurs faciles. Mais surtout, c'est une
précipitation à vivre qui touche au gaspillage. A Belcourt,
comme à Bab-el-Oued, on se marie jeune. On travaille très
tôt et on épuise en dix ans l'expérience d'une vie d'homme.
Un ouvrier de trente ans a déjà joué toutes ses cartes. Il attend la fin entre sa femme et ses enfants. Ses bonheurs ont été
brusques et sans merci. De même sa vie. Et l'on comprend
alors qu'il soit né de ce pays où tout est donné pour être
retiré. Dans cette abondance et cette profusion, la vie prend
la courbe[28] des grandes passions, soudaines, exigeantes, gé-
néreuses. Elle n'est pas à construire, mais à brûler. Il ne
s'agit pas alors de réfléchir et de devenir meilleur. La notion

d'enfer, par exemple, n'est ici qu'une aimable plaisanterie.
De pareilles imaginations ne sont permises qu'aux très
vertueux. Et je crois bien que la vertu est un mot sans signi-
fication dans toute l'Algérie. Non que ces hommes manquent
de principes. On a sa morale, et bien particulière. On ne
« manque » pas à sa mère.[29] On fait respecter sa femme
dans les rues. On a des égards pour la femme enceinte.[30]
On ne tombe pas à deux sur un adversaire, parce que « ça
fait vilain ».[31] Pour qui n'observe pas ces commandements
élémentaires, « il n'est pas un homme », et l'affaire est
réglée.[32] Ceci me paraît juste et fort. Nous sommes encore
beaucoup à observer inconsciemment ce code de la rue, le
seul désintéressé que je connaisse. Mais en même temps
la morale du boutiquier y est inconnue. J'ai toujours vu
autour de moi les visages s'apitoyer sur le passage d'un
homme encadré d'agents. Et, avant de savoir si l'homme avait
volé, était parricide ou simplement non-conformiste:
« le pauvre », disait-on, ou encore, avec une nuance d'admiration: « celui-là, c'est un pirate. »[33]

Il y a des peuples nés pour l'orgueil et la vie. Ce sont
ceux qui nourrissent la plus singulière vocation pour l'ennui.
C'est aussi chez eux que le sentiment de la mort est le plus
repoussant. Mise à part la joie des sens, les amusements de
ce peuple sont parmi les plus ineptes. Une société de boulomanes et les banquets des « amicales », le cinéma à trois
francs et les fêtes communales suffisent depuis des années
à la récréation des plus de trente ans.[34] Les dimanches
d'Alger sont parmi les plus sinistres. Comment ce peuple
sans esprit saurait-il alors habiller de mythes l'horreur profonde de sa vie? Tout ce qui touche à la mort est ici ridicule
ou odieux. Ce peuple sans religion et sans idoles meurt seul
après avoir vécu en foule. Je ne connais pas d'endroit plus
hideux que le cimetière du boulevard Bru, en face d'un des
plus beaux paysages du monde. Un amoncellement de
mauvais goût parmi les entourages[35] noirs, laisse monter
une tristesse affreuse de ces lieux où la mort découvre son
vrai visage. « Tout passe, disent les ex-voto[36] en forme de
cœur, sauf le souvenir. » Et tous insistent sur cette éternité
dérisoire que nous fournit à peu de frais le cœur de ceux

qui nous aimèrent. Ce sont les mêmes phrases qui servent
à tous les désespoirs. Elles s'adressent au mort et lui parlent
à la deuxième personne (notre souvenir ne t'abandonnera
pas); feinte sinistre par quoi on prête un corps et des désirs
à ce qui au mieux est un liquide noir. Ailleurs, au milieu
d'une abrutissante[37] profusion de fleurs et d'oiseaux de
marbre, ce vœu téméraire: «Jamais ta tombe ne restera
sans fleurs.» Mais on est vite rassuré: l'inscription entoure
un bouquet de stuc doré, bien économique pour le temps
des vivants (comme ces immortelles qui doivent leur nom
pompeux à la gratitude de ceux qui prennent encore leurs
tramways en marche).[38] Comme il faut aller avec son siècle,[39]
on remplace quelquefois la fauvette[40] classique par un ahuris-
sant avion de perles, piloté par un ange niais que, sans souci
de la logique, on a muni d'une magnifique paire d'ailes.

Comment faire comprendre pourtant que ces images de
la mort ne se séparent jamais de la vie? Les valeurs ici sont
étroitement liées. La plaisanterie favorite des croque-morts
algérois, lorsqu'ils roulent à vide,[41] c'est de crier: «Tu
montes, chérie?» aux jolies filles qu'ils rencontrent sur la
route. Rien n'empêche d'y voir un symbole, même s'il est
fâcheux.[42] Il peut paraître blasphématoire aussi de répondre
à l'annonce d'un décès en clignant l'œil gauche: «Le pauvre,
il ne chantera plus», ou, comme cette Oranaise qui n'avait
jamais aimé son mari: «Dieu me l'a donné, Dieu me l'a
repris.» Mais tout compte fait,[43] je ne vois pas ce que la
mort peut avoir de sacré et je sens bien, au contraire, la
distance qu'il y a entre la peur et le respect. Tout ici respire
l'horreur de mourir dans un pays qui invite à la vie. Mais
pourtant, c'est sous les murs mêmes de ce cimetière que
les jeunes gens de Belcourt donnent leurs rendez-vous et que
les filles s'offrent aux baisers et aux caresses.

J'entends bien qu'un tel peuple ne peut être accepté de
tous. Ici, l'intelligence n'a pas de place comme en Italie.
Cette race est indifférente à l'esprit. Elle a le culte et l'admiration du corps. Elle en tire sa force, son cynisme naïf, et
une vanité puérile qui lui vaut d'être sévèrement jugée. On
lui reproche communément sa «mentalité», c'est-à-dire
une façon de voir et de vivre. Et il est vrai qu'une certaine

intensité de vie ne va pas sans injustice. Voici pourtant un peuple sans passé, sans tradition et cependant non sans poésie — mais d'une poésie dont je sais bien la qualité, dure, charnelle, loin de la tendresse, celle même de leur ciel, la seule à la vérité qui m'émeuve et me rassemble.[44] Le contraire d'un peuple civilisé, c'est un peuple créateur. Ces barbares qui se prélassent[45] sur des plages, j'ai l'espoir insensé qu'à leur insu peut-être, ils sont en train de modeler le visage d'une culture où la grandeur de l'homme trouvera enfin son vrai visage. Ce peuple tout entier jeté dans son présent vit sans mythes, sans consolation. Il a mis tous ses biens sur cette terre et reste dès lors sans défense contre la mort. Tous les dons de la beauté physique lui ont été prodigués.[46] Et avec eux, la singulière avidité qui accompagne toujours cette richesse sans avenir. Tout ce qu'on fait ici marque le dégoût de la stabilité et l'insouciance de l'avenir. On se dépêche de vivre et si un art devait y naître, il obéirait à cette haine de la durée qui poussa les Doriens[47] à tailler dans le bois leur première colonne. Et pourtant, oui, on peut trouver une mesure en même temps qu'un dépassement dans le visage violent et acharné de ce peuple, dans ce ciel d'été vidé de tendresse, devant quoi toutes les vérités sont bonnes à dire[48] et sur lequel aucune divinité trompeuse n'a tracé les signes de l'espoir ou de la rédemption. Entre ce ciel et ces visages tournés vers lui, rien où accrocher une mythologie, une littérature, une éthique ou une religion, mais des pierres, la chair, des étoiles et ces vérités que la main peut toucher.

*

Sentir ses liens avec une terre, son amour pour quelques hommes, savoir qu'il est toujours un lieu où le cœur trouvera son accord,[49] voici déjà beaucoup de certitudes pour une seule vie d'homme. Et sans doute cela ne peut suffire. Mais à cette patrie de l'âme tout aspire à certaines minutes. « Oui, c'est là-bas, là-bas qu'il nous faut retourner. » Cette union que souhaitait Plotin,[50] quoi d'étrange à la retrouver sur la terre? L'Unité s'exprime ici en termes de soleil et de mer. Elle est sensible au cœur par un certain goût de chair qui fait son amertume et sa grandeur. J'apprends qu'il n'est pas de bonheur surhumain, pas d'éternité hors de la courbe des journées. Ces biens dérisoires et essentiels, ces vérités relatives sont les seules qui m'émeuvent. Les autres, les « idéales », je n'ai pas assez d'âme pour les comprendre. Non qu'il faille faire la bête, mais je ne trouve pas de sens au bonheur des anges. Je sais seulement que ce ciel durera plus que moi. Et qu'appellerai-je éternité sinon ce qui continuera après ma mort? Je n'exprime pas ici une complaisance de la créature dans sa condition. C'est bien autre chose. Il n'est pas toujours facile d'être un homme, moins encore d'être un homme pur. Mais être pur, c'est retrouver cette patrie de l'âme où devient sensible la parenté du monde, où les coups du sang rejoignent les pulsations violentes du soleil de deux heures. Il est bien connu que la patrie se reconnaît toujours au moment de la perdre. Pour ceux qui sont trop tourmentés d'eux-mêmes,[51] le pays natal est celui qui les nie. Je ne voudrais pas être brutal ni paraître exagéré. Mais enfin, ce qui me nie dans cette vie, c'est d'abord ce qui me tue. Tout ce qui exalte la vie, accroît en même temps son absurdité. Dans l'été d'Algérie, j'apprends qu'une seule chose est plus tragique que la souffrance et c'est la vie d'un homme heureux. Mais ce peut être aussi bien le chemin d'une plus grande vie, puisque cela conduit à ne pas tricher.

Beaucoup, en effet, affectent l'amour de vivre pour éluder[52] l'amour lui-même. On s'essaye à jouir et à « faire des expériences ». Mais c'est une vue de l'esprit. Il faut une rare vocation pour être un jouisseur.[53] La vie d'un homme s'accomplit sans le secours de son esprit, avec ses reculs et ses avances, à la fois sa solitude et ses présences. A voir ces hommes de Belcourt qui travaillent, défendent leurs femmes et leurs enfants, et souvent sans un reproche, je crois qu'on peut sentir une secrète honte. Sans doute, je ne me fais pas d'illusions. Il n'y a pas beaucoup d'amour dans les vies dont je parle. Je devrais dire qu'il n'y en a plus beaucoup. Mais du moins, elles n'ont rien éludé. Il y a des mots que je n'ai jamais bien compris, comme celui de péché. Je crois savoir pourtant que ces hommes n'ont pas péché contre la vie. Car s'il y a un péché contre la vie, ce n'est peut-être pas tant d'en désespérer que d'espérer une autre vie, et se dérober à l'implacable grandeur de celle-ci. Ces hommes n'ont pas triché. Dieux de l'été, ils le furent à vingt ans par leur ardeur à vivre et le sont encore, privés de tout espoir. J'en ai vu mourir deux. Ils étaient pleins d'horreur, mais silencieux. Cela vaut mieux ainsi. De la boîte de Pandore[54] où grouillaient les maux de l'humanité, les Grecs firent sortir l'espoir après tous les autres, comme le plus terrible de tous. Je ne connais pas de symbole plus émouvant. Car l'espoir au contraire de ce qu'on croit, équivaut à la résignation. Et vivre, c'est ne pas se résigner.

Voici du moins l'âpre leçon des étés d'Algérie. Mais déjà la saison tremble et l'été bascule. Premières pluies de septembre, après tant de violences et de raidissement, elles sont comme les premières larmes de la terre délivrée, comme si pendant quelques jours, ce pays se mêlait[55] de tendresse. A la même époque pourtant, les caroubiers mettent une odeur d'amour sur toute l'Algérie. Le soir ou après la pluie, la terre entière, son ventre mouillé d'une semence au parfum d'amande amère, repose pour s'être donnée tout l'été au soleil. Et voici qu'à nouveau cette odeur consacre les noces de l'homme et de la terre, et fait lever en nous le seul amour vraiment viril en ce monde: périssable et généreux.

Note

A titre d'illustration, ce récit de bagarre[56] entendu à Bab-el-Oued et reproduit mot à mot. (Le narrateur ne parle pas toujours comme le Cagayous de Musette.[57] Qu'on ne s'en étonne pas. La langue de Cagayous est souvent une langue littéraire, je veux dire une reconstruction. Les gens du « milieu » ne parlent pas toujours argot.[58] Ils emploient des mots d'argot, ce qui est différent. L'Algérois use d'un vocabulaire typique et d'une syntaxe spéciale. Mais c'est par leur introduction dans la langue française que ces créations trouvent leur saveur.)

Alors Coco y[59] s'avance et y lui dit: « Arrête un peu, arrête. » L'autre y dit: « Qu'est-ce qu'y a. » Alors Coco y

lui dit « Je vas te donner des coups. » « A moi tu vas
donner des coups ? » Alors y met la main derrière, mais
c'était scousa. Alors Coco y lui dit : « Mets pas la main
darrière, parce qu'après j'te choppe le 6-35[60] et t'y mange-
ras des coups quand même. »

L'autre il a pas mis la main. Et Coco, rien qu'un, y lui
a donné — pas deux, un. L'autre il était par terre. « Oua,
oua » qu'y faisait. Alors le monde il est venu. La bagarre,
elle a commencé. Y en a un qui s'est avancé à Coco, deux,
trois. Moi j'y ai dit : « Dis, tu vas toucher à mon frère ? —
Qui, ton frère ? — Si c'est pas mon frère, c'est comme mon
frère. » Alors j'y ai donné un taquet. Coco y tapait, moi
je tapais, Lucien y tapait. Moi j'en avais un dans un coin
et avec la tête : « bom, bom. » Alors les agents y sont venus.
Y nous ont mis les chaînes, dis. La honte à la figure, j'avais,
de traverser tout Bab-el-Oued. Devant le *Gentleman's bar*,
y avait des copains et des petites, dis. La honte à la figure.
Mais après le père à Lucien[61] y nous a dit : « Vous avez
raison. »

Carnets de mai 1935 à avril 1939

Camus's Carnets *are not journals recording his private life
and only indirectly are they a reflection of his inner development. He jotted down remarks, maxims, observations on
what he saw on his travels or his reading, or outlined projects
for his future work. The pages included here are drawn from
his first two notebooks, which cover the period between May
1935 and April 1939. One of the numerous projects he
sketched is really in itself almost a short story: the story of
Jeanne which Camus eventually used in* La Peste. *Interesting
too are the maxims. Camus once started a small collection
of them. The early ones reflect his wish to give himself rules
for living; sometimes they are merely mundane, sometimes
they are far more personal. Even as a young man, Camus
was well aware of what he lacked and what he wanted or
did not want to become. He had sensed the major concern
of twentieth-century literature: to find a way out of the
closed world of the self which, since the Romantics, had
been so fully explored. His own concern was to rediscover
how, emerging from his solitude, the writer can move to-
wards a reunification with the world and with other men,
in order to give significance to what he has to say.*

18 octobre 1937.

Au mois de septembre, les caroubiers[1] mettent une odeur
d'amour sur toute l'Algérie, et c'est comme si la terre entière reposait après s'être donnée au soleil, son ventre tout
mouillé d'une semence au parfum d'amandes.

Dans le chemin de Sidi-Brahim,[2] après la pluie, l'odeur d'amour descend des caroubiers, lourde et oppressante, pesant de tout son poids d'eau. Puis le soleil pompant toute l'eau, dans les couleurs à nouveau éclatantes, l'odeur d'amour devient légère, à peine sensible aux narines. Et c'est comme une maîtresse avec qui l'on sort dans la rue, après tout un après-midi étouffant, et qui vous regarde, épaule contre épaule, parmi les lumières et la foule.

*

Huxley.[3] « Après tout, il vaut mieux être un bon bourgeois comme les autres qu'un mauvais bohême ou qu'un faux aristocrate, ou qu'un intellectuel de deuxième ordre .... »

*

20 octobre.

L'exigence du bonheur et sa recherche patiente. Il n'y a pas de nécessité à exiler une mélancolie, mais il y en a une à détruire en nous ce goût du difficile et du fatal. Etre heureux avec ses amis, en accord avec le monde, et gagner son bonheur en suivant une voie qui pourtant mène à la mort.

« Vous tremblerez devant la mort. »

« Oui, mais je n'aurai rien manqué de ce qui fait toute ma mission et c'est de vivre. » Ne pas consentir à la convention et aux heures de bureau. Ne pas renoncer. Ne jamais renoncer — exiger toujours plus. Mais être lucide même pendant ces heures de bureau. Aspirer à la nudité où nous rejette le monde, sitôt que nous sommes seuls devant lui. Mais surtout pour être, ne pas chercher à paraître.

*

21 octobre.

Il faut singulièrement plus d'énergie pour voyager pauvrement que pour jouer au voyageur traqué.[4] Prendre un pont sur les bateaux, arriver fatigué et creusé par l'intérieur, voyager longuement en troisième, ne faire souvent qu'un repas par jour, compter son argent et craindre à chaque minute qu'un accident inconsidéré n'interrompe un voyage par lui-même déjà si dur, tout cela demande un courage et une volonté qui défendent qu'on prenne au sérieux les prêches sur le « déracinement. »[5] Ce n'est pas gai de voyager, ni facile. Et il faut avoir le goût du difficile et l'amour de l'inconnu pour réaliser ses rêves de voyage lorsqu'on est pauvre et sans argent. Mais à bien voir, cela prévient contre le dilettantisme et sans doute je ne dirai pas que ce qui manque à Gide et à Montherlant,[6] c'est d'avoir des réductions sur les trains qui les contraignent du même coup à rester six jours dans une même ville. Mais je sais bien que je ne puis au fond voir les choses comme Montherlant ou Gide — à cause des réductions sur les trains.

*

25 octobre.

Le bavardage — ce qu'il a d'insupportable et de dégradant.

*

5 novembre.

Cimetière d'El Kettar.[7] Un ciel couvert et une mer grosse face aux collines pleines de tombes blanches. Les arbres et la terre mouillés. Des pigeons entre les dalles blanches. Un seul géranium à la fois rose et rouge, et une grande tristesse perdue et muette qui nous rend familier le beau visage pur de la mort.

*

6 novembre.

Chemin de la Madeleine.[8] Des arbres, de la terre et du

ciel. Ah! de mon geste à cette première étoile qui nous
attendait au retour, quelle distance à la fois, et quelle secrète
entente.

*

7 novembre.

Personnage.[9] A.M. infirme — amputé des deux jambes —
paralysé d'un côté.

« On m'aide à faire mes besoins. On me lave. On m'es-
suie. Je suis à peu près sourd. Eh bien, je ne ferai jamais un
geste pour abréger une vie à laquelle je crois tant. J'accep-
terais pire encore. D'être aveugle et sans aucune sensibilité
— d'être muet et sans contact avec l'extérieur — pourvu
seulement que je sente en moi cette flamme sombre et ardente qui est moi et moi vivant — remerciant encore la vie
pour m'avoir permis de brûler. »

*

8 novembre.

Au cinéma de quartier, on vend des pastilles de menthe
où est écrit: « M'épouserez-vous un jour? » « M'aimez-
vous? » Et les réponses: « Ce soir. » « Beaucoup, » etc. ...
On les passe à sa voisine qui répond de la même manière.
Des vies s'engagent sur un échange de pastilles de menthe.[10]

*

13 novembre.

Cviklinsky.[11] « J'ai toujours agi par dépit. Maintenant ça
va mieux. Agir de façon à être heureux? Si je dois m'installer, le faire plutôt dans ce pays qui me plaît? Mais l'anticipation sentimentale est toujours fausse — toujours. Alors
il faut vivre comme il nous est le plus facile de vivre. Ne
pas se forcer, même si ça choque. C'est un peu cynique,

mais c'est aussi le point de vue de la plus belle fille du monde. »

Oui, mais je ne suis pas sûr que toute anticipation sentimentale soit fausse. Elle est seulement déraisonnable. En tout cas, la seule expérience qui m'intéresse, c'est celle où justement tout se trouverait être[12] comme on l'attendait. *Faire une chose pour être heureux, et en être heureux.* Ce qui m'attire, c'est ce lien qui va du monde à moi, ce double reflet qui fait que mon cœur peut intervenir et dicter mon bonheur jusqu'à une limite précise où le monde alors peut l'achever ou le détruire.

Aedificabo et destruam, dit Montherlant. J'aime mieux Aedificabo et destruat.[13] L'alternance ne va pas de moi à moi. Mais du monde à moi et de moi au monde. Question d'humilité.

*

16 novembre.

Il dit: « Il faut avoir un amour — un grand amour dans sa vie, parce que ça fait un alibi pour les désespoirs sans raison dont nous sommes accablés. »

*

17 novembre.

« Volonté du Bonheur »

3ème partie.[14] Réalisation du bonheur.

Plusieurs années. Succession du temps dans les saisons et rien que cela.

1ère partie (fin). Infirme[15] qui dit à M.: « L'Argent. C'est par une sorte de snobisme spirituel qu'on veut essayer de croire qu'on peut être heureux sans argent. »

M. rentrant chez lui, examine les événements de sa vie à la lumière de ces faits. Réponse: oui.

Pour un homme « bien né », être heureux c'est reprendre le destin de tous non pas avec la volonté du renoncement, mais avec la volonté du bonheur. Pour être heureux, il faut du temps, beaucoup de temps. Le bonheur lui aussi est une longue patience. Et le temps, c'est le besoin d'argent qui nous le vole. Le temps s'achète. Tout s'achète. Etre riche, c'est avoir du temps pour être heureux quand on est digne de l'être.

*

22 novembre.

Il est normal de donner un peu de sa vie pour ne pas la perdre tout entière. Six ou huit heures par jour pour ne pas crever de faim. Et puis tout est profit à qui veut profiter.

*

Décembre.

Une pluie épaisse comme une huile sur les vitres, le bruit creux du sabot des chevaux et l'averse[16] sourde et persistante, tout prenait un visage de passé dont la lourde mélancolie pénétrait le cœur de Mersault comme l'eau ses souliers humides et le froid ses genoux mal protégés par une étoffe mince. De tout le fond du ciel, des nuages noirs arrivaient sans cesse, bientôt disparus et bientôt remplacés. Cette eau vaporisée qui descendait, ni brume ni pluie, lavant le visage de M. comme une main légère, mettait à nu ses yeux largement cernés. Le pli de son pantalon avait disparu et, avec lui, cette chaleur et cette confiance qu'un homme normal promène dans un monde qui est fait pour lui.

(à Salzbourg)[17]

*

Le type qui donnait toutes les promesses[18] et qui travaille maintenant dans un bureau. Il ne fait rien d'autre part, rentrant chez lui, se couchant et attendant l'heure du dîner en fumant, se couchant à nouveau et dormant jusqu'au lendemain. Le dimanche, il se lève très tard et se met à sa fenêtre, regardant la pluie ou le soleil, les passants ou le silence. Ainsi toute l'année. Il attend. Il attend de mourir. A quoi bon les promesses, puisque de toutes façons ...

*

La politique et le sort des hommes sont formés par des hommes sans idéal et sans grandeur. Ceux qui ont une grandeur en eux ne font pas de politique. Ainsi de tout. Mais il s'agit maintenant de[19] créer en soi un nouvel homme. Il s'agit que les hommes d'action soient aussi des hommes d'idéal et les poètes industriels. Il s'agit de vivre ses rêves — de les agir. Avant, on y renonçait ou s'y perdait. Il faut ne pas s'y perdre et n'y pas renoncer.

*

Nous n'avons pas le temps d'être nous-mêmes. Nous n'avons que le temps d'être heureux.

*

Décembre 1938.

C'est à Jeanne[20] que sont liées quelques-unes de mes joies les plus pures. Elle me disait souvent: « Tu es bête. » C'était son mot, celui qu'elle disait en riant, mais c'était toujours au moment où elle m'aimait le mieux. Nous étions tous les deux d'une famille pauvre. Elle habitait quelques rues après la mienne, sur la rue du centre. Ni elle ni moi ne sortions jamais de ce quartier où tout nous ramenait. Et chez elle comme chez moi c'était une manière d'échapper à tout ça. Et pourtant maintenant, à cette heure où je me retourne vers son visage d'enfant lassé, à travers tant d'années, je comprends que nous n'échappions pas à cette vie de misère et que, à la vérité, c'était de nous aimer au sein même de cette ombre qui nous donnait tant d'émotion que rien ne pourra plus payer.

Je crois que j'ai bien souffert quand je l'ai perdue. Mais

pourtant je n'ai pas eu de révolte. C'est que je n'ai jamais
été très à l'aise au milieu de la possession. Il me semble
toujours plus naturel de regretter. Et, bien que je voie
clair en moi, je n'ai jamais pu m'empêcher de croire que
Jeanne est plus en moi dans un moment comme aujourd-
d'hui qu'elle ne l'était quand elle se dressait un peu sur
la pointe des pieds pour mettre ses bras autour de mon
cou. Je ne sais plus comment je l'ai connue.[21] Mais je sais
que j'allais la voir chez elle. Et que son père et sa mère
riaient de nous voir. Son père était cheminot[22] et, quand
il était chez lui, on le voyait toujours assis dans un coin,
pensif, regardant par la fenêtre, ses mains énormes à plat
sur ses cuisses. Sa mère était toujours au ménage.[23] Et
Jeanne aussi, mais à la voir légère et rieuse, je ne pensais
pas qu'elle était en train de travailler. Elle était d'une taille
moyenne, mais elle me paraissait petite. Et de la sentir
si menue, si légère, mon cœur se serrait un peu lorsque
je la voyais traverser une rue devant des camions. Je reconnais maintenant que sans doute elle n'était pas intelligente.
Mais à l'époque je ne songeais pas à me le demander.
Elle avait une façon à elle de[24] jouer à être fâchée qui
m'emplissait le cœur d'un ravissement plein de larmes. Et
ce geste secret, par quoi elle se retournait vers moi et se
jetait dans mes bras quand je la suppliais de pardonner,
comment, si longtemps après, ne toucherait-il pas encore
ce cœur fermé sur tant de choses? Je ne sais plus aujourd-
d'hui si je la désirais. Je sais que tout était confondu. Je
sais seulement que tout ce qui m'agitait se résolvait en
tendresse. Si je la désirais, je l'ai oublié le premier jour
où, dans le couloir de son appartement, elle m'a donné
sa bouche pour me remercier d'une petite broche que je
lui avais donnée. Avec ses cheveux tirés en arrière, sa
bouche inégale[25] aux dents un peu grandes, ses yeux clairs
et son nez droit, elle m'apparut ce soir-là comme une
enfant que j'aurais mise au monde pour ses baisers et sa
tendresse. Et j'ai eu longtemps cette impression, aidé en
cela par Jeanne qui m'appelait toujours son « grand ami. »
Nous avions ensemble des joies singulières. Quand nous

avons été fiancés, j'avais vingt-deux ans et elle dix-huit.
Mais ce qui nous pénétrait le cœur d'amour grave et
joyeux, était le caractère officiel de la chose. Et que Jeanne
fût reçue chez moi, que maman l'embrassât et lui dît « Ma
petite, » c'étaient autant de joies un peu ridicules que nous
ne cherchions pas à cacher. Mais le souvenir de Jeanne
est lié pour moi à une impression qui me paraît aujourd'hui
inexprimable. Je la retrouve encore et il suffit que je sois
triste et que je rencontre, à quelques minutes d'intervalle,
un visage de femme qui me touche et une devanture brillante, pour que je retrouve avec une vérité qui me fait
mal, le visage de Jeanne renversé vers moi et me disant
« Comme c'est beau. » C'était à l'époque des fêtes.[26] Et les
magasins de notre quartier n'épargnaient ni les lumières ni
les décorations. Nous nous arrêtions devant les pâtisseries.
Les sujets en chocolat, la rocaille de papier d'argent et d'or,
les flocons de neige en ouate hydrophile,[27] les assiettes dorées
et les pâtisseries aux couleurs d'arc en ciel, tout nous ravis-
sait. J'en avais un peu honte. Mais je ne pouvais réfréner[28]
cette joie qui me remplissait et qui faisait briller les yeux
de Jeanne.

Aujourd'hui, si j'essaye de préciser cette émotion singulière, j'y vois beaucoup de choses. Bien sûr, cette joie me
venait d'abord de Jeanne — de son parfum et de sa main
serrée sur mon poignet, des moues que j'attendais. Mais
aussi ce soudain éclat des magasins dans un quartier d'ordinaire si noir, l'air pressé des passants chargés d'emplettes,
la joie des enfants dans les rues, tout contribuait à nous
arracher à notre monde solitaire. Le papier d'argent de ces
bouchées au chocolat[29] était le signe qu'une période confuse
mais bruyante et dorée s'ouvrait pour les cœurs simples, et
Jeanne et moi nous pressions un peu plus l'un contre l'autre.
Peut-être sentions-nous confusément alors ce bonheur singulier de l'homme qui voit sa vie s'accorder avec lui-même.[30]
D'ordinaire nous promenions le désert enchanté de notre
amour dans un monde où l'amour n'avait plus de part. Et
ces jours-là, il nous semblait que la flamme qui s'élevait en
nous quand nos mains étaient liées était la même que celle

qui dansait dans les vitrines, dans le cœur des ouvriers
tournés vers leurs enfants et dans la profondeur du ciel pur
et glacé de décembre.

*

Décembre.

Le Faust à l'envers.[31] L'homme jeune demande au diable
les biens de ce monde. Le diable (qui a un costume sport
et déclare volontiers que le cynisme est la grande tentation
de l'intelligence) lui dit avec douceur: « Mais les biens de
ce monde, tu les as. C'est à Dieu qu'il faut demander ce
qui te manque — si tu crois que quelque chose te manque.
Tu feras marché avec Dieu et pour les biens de l'autre
monde, tu lui vendras le corps. »

Après un silence, le diable qui allume une cigarette an-
glaise ajoute: « Et ce sera ta punition éternelle. »

$\mathcal{L}e$ Mythe de Sisyphe

In the foreword to Le Mythe de Sisyphe *Camus briefly states his purpose in writing the book. His generation, he felt, had developed "une sensibilité absurde." It was satisfied with neither the religious beliefs nor the moral code of a society that showed little impulse to put its precepts into practice. "La sensibilité absurde" was a state of mind which tacitly led from the premise that life was incomprehensible to the conclusion that it was meaningless in human terms. Camus, who had recently emerged from a tête-à-tête with death, was appalled by both tendencies and set out to propose another alternative. He was, at the time, plunged in the study of philosophy, the Greeks as always, but also the German phenomenologists and existentialists then coming into vogue.* Le Mythe de Sisyphe, *as Camus later pointed out, sweepingly rejects all their conclusions with the characteristic impatience of youth.*

The fundamental concern of Le Mythe de Sisyphe *is happiness. In a universe where death is a certainty, how can a man live a life which will satisfy his aspirations for justice, love and beauty? How is it possible to live creatively in a meaningless universe? Camus starts the discussion by linking these questions to the problem of suicide. He is certainly not the first to have raised that age-old question and among the predecessors he cites none, possibly, had influenced him more deeply than Dostoevsky. The epigraph states the limits he has put on the terms of the discussion. He lays aside all explanations of life conceived in terms of an afterlife or any form of transcendency. The only certainty we have, he concludes, is death; but we also have the life death negates. Life is nonetheless ours to live to the fullest because it is* our one irreplaceable possession. *To be human is to fight death. To commit suicide therefore is to yield to a fate which denies our existence. This we must reject with all our strength.* Abstract reasoning seemed to Camus inadequate to convey a meaning rooted in his own intimate experience. That is why he went on to describe some "absurd lives" he considered worthy of human beings: Don Juan's, the actor's, the conqueror's (in the realm of the mind), the artist's, all summarized and symbolized in the Myth of Sisyphus.

L'Etranger *and* Caligula *cannot be dissociated from* Le Mythe de Sisyphe. *Meursault, the hero of* L'Etranger, *and* Caligula, *the mad emperor of the play of that title, both stop halfway in their struggle with the absurd. Encountering disaster, Meursault at last wakes up, but only when he is about to die. Only then does he suddenly grasp the full implications of what it is to live as a man among other men on this earth. Caligula, obsessed by a sense of the futility of human life seen in the perspective of death, loses his way and accumulates around him nothing but havoc. But Sisyphus, having fully assumed his fate, can hear the many voices of the earth and we can imagine, Camus concludes, that he is happy. Happiness is indeed possible, combined with lucidity, but not without a great and constant effort of the will, beyond* "les négations obstinées" *and* "le conformisme." "Le bonheur est la plus grande des conquêtes," *Camus later wrote in his* Lettres à un ami allemand *(1948, p. 80),* "celle qu'on fait contre le destin qui nous est imposé."

Camus does not attempt to resolve the paradoxical contradictions in the human situation. Rather he simplifies them so as to point to a balance of extreme alternatives, each of which, carried to its limits, destroys the other and, with it, the human being. Rejecting all "absolutes," refusing all structures imposed from outside, either traditional or intellectual, he asserts that only through will can a man derive the power to make of the total human situation a dynamic and creative force for happiness.

Avant-propos

> « O mon âme, n'aspire pas à la vie immortelle, mais
> épuise le champ du possible. »
>
> *Pindare* — 3ᵉ Pythique.

Les pages qui suivent traitent d'une sensibilité absurde qu'on
peut trouver éparse dans le siècle[1] — et non d'une philosophie absurde que notre temps, à proprement parler, n'a
pas connue. Il est donc d'une honnêteté élémentaire de
marquer, pour commencer, ce qu'elles[2] doivent à certains
esprits contemporains. Mon intention est si peu de le cacher
qu'on les verra cités et commentés tout au long de l'ouvrage.

Mais il est utile de noter, en même temps, que l'absurde,
pris jusqu'ici comme conclusion, est considéré dans cet essai
comme un point de départ. En ce sens, on peut dire qu'il
y a du provisoire dans mon commentaire: on ne saurait
préjuger de la position qu'il engage.[3] On trouvera seulement
ici la description, à l'état pur, d'un mal de l'esprit.[4] Aucune
métaphysique, aucune croyance n'y sont mêlées pour le
moment. Ce sont les limites et le seul parti pris[5] de ce livre.
Quelques expériences personnelles me poussent à le préciser.[6]

L'Absurde et le suicide

Il n'y a qu'un problème philosophique vraiment sérieux:
c'est le suicide. Juger que la vie vaut ou ne vaut pas la peine
d'être vécue, c'est répondre à la question fondamentale de
la philosophie. Le reste, si le monde a trois dimensions, si
l'esprit a neuf ou douze catégories, vient ensuite. Ce sont
des jeux: il faut d'abord répondre. Et s'il est vrai, comme

le veut Nietzsche, qu'un philosophe, pour être estimable, doit prêcher d'exemple,[7] on saisit l'importance de cette réponse puisqu'elle va précéder le geste définitif. Ce sont là des évidences sensibles au cœur, mais qu'il faut approfondir pour les rendre claires à l'esprit.

Si je me demande à quoi juger que telle question est plus pressante que telle autre, je réponds que c'est aux actions qu'elle engage. Je n'ai jamais vu personne mourir pour l'argument ontologique.[8] Galilée[9] qui tenait une vérité scientifique d'importance, l'abjura le plus aisément du monde dès qu'elle mit sa vie en péril. Dans un certain sens, il fit bien.* Cette vérité ne valait pas le bûcher.[10] Qui de la terre ou du soleil tourne autour de l'autre,[11] cela est profondément indifférent. Pour tout dire, c'est une question futile. En revanche, je vois que beaucoup de gens meurent parce qu'ils estiment que la vie ne vaut pas la peine d'être vécue. J'en vois d'autres qui se font paradoxalement tuer pour les idées ou les illusions qui leur donnent une raison de vivre (ce qu'on appelle une raison de vivre est en même temps une excellente raison de mourir.) Je juge donc que le sens de la vie est la plus pressante des questions. Comment y répondre? Sur tous les problèmes essentiels, j'entends par là ceux qui risquent de faire mourir ou ceux qui décuplent la passion de vivre, il n'y a probablement que deux méthodes de pensée, celle de La Palisse et celle de Don Quichotte.[12] C'est l'équilibre de l'évidence et du lyrisme qui peut seul nous permettre d'accéder en même temps à l'émotion et à la clarté. Dans un sujet à la fois si humble et si chargé de pathétique, la dialectique savante et classique doit donc céder la place, on le conçoit, à une attitude d'esprit plus modeste qui procède à la fois du bon sens et de la sympathie.

On n'a jamais traité du suicide que comme d'un phénomène social. Au contraire, il est question ici, pour commencer, du rapport entre la pensée individuelle et le suicide.

---

* Du point de vue de la valeur relative de la vérité. Au contraire, du point de vue de la conduite virile, la fragilité de ce savant peut prêter à sourire.

Un geste comme celui-ci se prépare dans le silence du cœur au même titre qu'une grande œuvre. L'homme lui-même l'ignore. Un soir, il tire ou il plonge.[13] D'un gérant d'immeubles[14] qui s'était tué, on me disait un jour qu'il avait perdu sa fille depuis cinq ans, qu'il avait beaucoup changé depuis et que cette histoire « l'avait miné ». On ne peut souhaiter de mot plus exact. Commencer à penser, c'est commencer d'être miné. La société n'a pas grand'chose à voir dans ces débuts. Le ver se trouve au cœur de l'homme. C'est là qu'il faut le chercher. Ce jeu mortel qui mène de la lucidité en face de l'existence à l'évasion hors de la lumière, il faut le suivre et le comprendre.

Il y a beaucoup de causes à un suicide et d'une façon générale les plus apparentes n'ont pas été les plus efficaces. On se suicide rarement (l'hypothèse cependant n'est pas exclue) par réflexion. Ce qui déclenche[15] la crise est presque toujours incontrôlable. Les journaux parlent souvent de « chagrins intimes » ou de « maladie incurable ». Ces explications sont valables. Mais il faudrait savoir si le jour même un ami du désespéré ne lui a pas parlé sur un ton indifférent. Celui-là est le coupable. Car cela peut suffire à précipiter toutes les rancœurs et toutes les lassitudes encore en suspension.*

Mais, s'il est difficile de fixer l'instant précis, la démarche subtile où l'esprit a parié[16] pour la mort, il est plus aisé de tirer du geste lui-même les conséquences qu'il suppose. Se tuer, dans un sens, et comme au mélodrame, c'est avouer. C'est avouer qu'on est dépassé par la vie ou qu'on ne la comprend pas. N'allons pas trop loin cependant dans ces analogies et revenons aux mots courants.[17] C'est seulement avouer que cela « ne vaut pas la peine ». Vivre, naturellement, n'est jamais facile. On continue à faire les gestes que l'existence commande, pour beaucoup de raisons, dont la première est l'habitude. Mourir volontairement suppose qu'on a reconnu, même instinctivement, le caractère déri-

---

* Ne manquons pas l'occasion de marquer le caractère relatif de cet essai. Le suicide peut en effet se rattacher à des considérations beaucoup plus honorables. Exemple: les suicides politiques dits de protestation, dans la révolution chinoise.

soire de cette habitude, l'absence de toute raison profonde
de vivre, le caractère insensé de cette agitation quotidienne
et l'inutilité de la souffrance.

Quel est donc cet incalculable sentiment qui prive l'esprit
du sommeil nécessaire à sa vie? Un monde qu'on peut
expliquer même avec de mauvaises raisons est un monde
familier. Mais au contraire, dans un univers soudain privé
d'illusions et de lumières, l'homme se sent un étranger. Cet
exil est sans recours[18] puisqu'il est privé des souvenirs d'une
patrie perdue ou de l'espoir d'une terre promise. Ce divorce
entre l'homme et sa vie, l'acteur et son décor, c'est proprement le sentiment de l'absurdité. Tous les hommes sains
ayant songé à leur propre suicide, on pourra reconnaître,
sans plus d'explications, qu'il y a un lien direct entre ce
sentiment et l'aspiration vers le néant.

Le sujet de cet essai c'est précisément ce rapport entre
l'absurde et le suicide, la mesure exacte dans laquelle le
suicide est une solution à l'absurde. On peut poser en principe que pour un homme qui ne triche pas, ce qu'il croit
vrai doit régler son action. La croyance dans l'absurdité de
l'existence doit donc commander sa conduite. C'est une
curiosité légitime de se demander, clairement et sans faux
pathétique, si une conclusion de cet ordre exige que l'on
quitte au plus vite une condition incompréhensible. Je parle
ici, bien entendu des hommes disposés à se mettre d'accord
avec eux-mêmes.

Posé en termes clairs, ce problème peut paraître à la fois
simple et insoluble. Mais on suppose à tort que des questions simples entraînent des réponses qui ne le sont pas
moins et que l'évidence implique l'évidence. A priori, et
en inversant les termes du problème, de même qu'on se
tue ou qu'on ne se tue pas, il semble qu'il n'y ait que deux
solutions philosophiques, celle du oui et celle du non. Ce
serait trop beau. Mais il faut faire la part de[19] ceux qui,
sans conclure, interrogent toujours. Ici, j'ironise à peine:
il s'agit de la majorité. Je vois également que ceux qui
répondent non agissent comme s'ils pensaient oui. De fait,
si j'accepte le critérium nietzschéen,[20] ils pensent oui d'une
façon ou de l'autre. Au contraire, ceux qui se suicident, il

arrive souvent qu'ils étaient assurés du sens de la vie. Ces contradictions sont constantes. On peut même dire qu'elles n'ont jamais été aussi vives que sur ce point où la logique au contraire paraît si désirable. C'est un lieu commun de comparer les théories philosophiques et la conduite de ceux qui les professent. Mais il faut bien dire que pour les penseurs qui refusèrent un sens à la vie, aucun, sauf Kirilov qui appartient à la littérature, Peregrinos qui naît de la légende* et Jules Lequier[21] qui relève de l'hypothèse, n'accorda sa logique jusqu'à refuser cette vie. On cite souvent, pour en rire, Schopenhauer qui faisait l'éloge[22] du suicide devant une table bien garnie. Il n'y a point là matière à plaisanterie. Cette façon de ne pas prendre le tragique au sérieux n'est pas si grave, mais elle finit par juger son homme.[23]

Devant ces contradictions et ces obscurités, faut-il donc croire qu'il n'y a aucun rapport entre l'opinion qu'on peut avoir sur la vie et le geste qu'on fait pour la quitter? N'exagérons rien dans ce sens. Dans l'attachement d'un homme à sa vie, il y a quelque chose de plus fort que toutes les misères du monde. Le jugement du corps vaut bien celui de l'esprit et le corps recule devant l'anéantissement. Nous prenons l'habitude de vivre avant d'acquérir celle de penser. Dans cette course qui nous précipite tous les jours un peu plus vers la mort, le corps garde cette avance irréparable. Enfin, l'essentiel de cette contradition réside dans ce que j'appellerai l'élision parce qu'elle est à la fois moins et plus que le divertissement au sens pascalien.[24] Eluder, voilà le jeu constant. L'élision type, l'élision mortelle qui fait le troisième thème de cet essai, c'est l'espoir. Espoir d'une autre vie qu'il faut « mériter », ou tricherie de ceux qui vivent non pour la vie elle-même, mais pour quelque grande idée qui la dépasse, la sublime, lui donne un sens et la trahit.

Tout contribue ainsi à brouiller les cartes.[25] Ce n'est pas en vain qu'on a jusqu'ici joué sur les mots et feint de croire que refuser un sens à la vie conduit forcément[26] à déclarer

* J'ai entendu parler d'un émule de Peregrinos, écrivain de l'après-guerre, qui après avoir terminé son premier livre se suicida pour attirer l'attention sur son œuvre. L'attention en effet fut attirée mais le livre jugé mauvais.

qu'elle ne vaut pas la peine d'être vécue. En vérité, il n'y a aucune mesure forcée[27] entre ces deux jugements. Il faut seulement refuser de se laisser égarer[28] par les confusions, les divorces et les inconséquences jusqu'ici signalées. Il faut tout écarter et aller droit au vrai problème. On se tue parce que la vie ne vaut pas la peine d'être vécue, voilà une vérité sans doute — inféconde cependant parce qu'elle est truisme. Mais est-ce que cette insulte à l'existence, ce démenti[29] où on la plonge vient de ce qu'elle n'a point de sens? Est-ce que son absurdité exige qu'on lui échappe, par l'espoir ou le suicide, voilà ce qu'il faut mettre à jour,[30] poursuivre et illustrer en écartant tout le reste. L'Absurde commande-t-il la mort, il faut donner à ce problème le pas[31] sur les autres, en dehors de toutes les méthodes de pensée et des jeux de l'esprit désintéressé. Les nuances, les contradictions, la psychologie qu'un esprit « objectif » sait toujours introduire dans tous les problèmes, n'ont pas leur place dans cette recherche et cette passion. Il y faut seulement une pensée injuste, c'est-à-dire logique. Cela n'est pas facile. Il est toujours aisé d'être logique. Il est presque impossible d'être logique jusqu'au bout. Les hommes qui meurent de leurs propres mains suivent ainsi jusqu'à sa fin la pente de leur sentiment. La réflexion sur le suicide me donne alors l'occasion de poser le seul problème qui m'intéresse: y a-t-il une logique jusqu'à la mort? Je ne puis le savoir qu'en poursuivant sans passion désordonnée, dans la seule lumière de l'évidence, le raisonnement dont j'indique ici l'origine. C'est ce que j'appelle un raisonnement absurde. Beaucoup l'ont commencé. Je ne sais pas encore s'ils s'y sont tenus.[32]

Lorsque Karl Jaspers,[33] révélant l'impossibilité de constituer le monde en unité, s'écrie: « Cette limitation me conduit à moi-même, là où je ne me retire plus derrière un point de vue objectif que je ne fais que représenter, là, où ni moi-même ni l'existence d'autrui ne peut plus devenir objet pour moi », il évoque après bien d'autres ces lieux déserts et sans eaux où la pensée arrive à ses confins. Après bien d'autres, oui sans doute, mais combien pressés d'en sortir! A ce dernier tournant[34] où la pensée vacille, bien des hommes sont arrivés et parmi les plus humbles. Ceux-là abdiquaient alors ce qu'ils avaient de plus cher qui était leur vie. D'autres, princes parmi l'esprit, ont abdiqué aussi, mais c'est au suicide de leur pensée, dans sa révolte la plus pure qu'ils ont procédé. Le véritable effort est de s'y tenir au contraire, autant que cela est possible et d'examiner de près la végétation baroque[35] de ces contrées éloignées. La ténacité et la clairvoyance sont des spectateurs privilégiés pour ce jeu inhumain où l'absurde, l'espoir et la mort échangent leurs répliques. Cette danse à la fois élémentaire et subtile, l'esprit peut alors en analyser les figures avant de les illustrer et de les revivre lui-même.

Le Mythe de Sisyphe

Les dieux avaient condamné Sisyphe[36] à rouler sans cesse un rocher jusqu'au sommet d'une montagne d'où la pierre retombait par son propre poids. Ils avaient pensé avec quelque raison qu'il n'est pas de punition plus terrible que le travail inutile et sans espoir.

Si l'on en croit Homère, Sisyphe était le plus sage et le plus prudent des mortels. Selon une autre tradition cependant, il inclinait au métier de brigand. Je n'y vois pas de contradiction. Les opinions diffèrent sur les motifs qui lui valurent d'être[37] le travailleur inutile des enfers. On lui reproche d'abord quelque légèreté avec les dieux. Il livra leurs secrets. Egine, fille d'Asope, fut enlevée par Jupiter. Le père s'étonna de cette disparition et s'en plaignit à Sisyphe. Lui, qui avait connaissance de l'enlèvement, offrit à Asope de l'en instruire, à la condition qu'il donnerait de l'eau à la citadelle de Corinthe. Aux foudres célestes, il préféra la bénédiction de l'eau. Il en fut puni dans les enfers. Homère nous raconte aussi que Sisyphe avait enchaîné la Mort. Pluton[38] ne put supporter le spectacle de son empire désert et silencieux. Il dépêcha[39] le dieu de la guerre qui délivra la Mort des mains de son vainqueur.

On dit encore que Sisyphe étant près de mourir voulut imprudemment éprouver l'amour de sa femme. Il lui ordonna de jeter son corps sans sépulture au milieu de la place publique. Sisyphe se retrouva dans les enfers. Et là, irrité d'une obéissance si contraire à l'amour humain, il obtint de Pluton la permission de retourner sur la terre pour châtier sa femme. Mais quand il eut de nouveau revu le visage de ce monde, goûté l'eau et le soleil, les pierres chaudes et la mer, il ne voulut plus retourner dans l'ombre infernale. Les rappels, les colères et les avertissements n'y firent rien. Bien des années encore, il vécut devant la courbe du golfe, la mer éclatante et les sourires de la terre. Il fallut un arrêt[40] des dieux. Mercure vint saisir l'audacieux au collet et l'ôtant à ses joies, le ramena de force aux enfers où son rocher était tout prêt.

On a compris déjà que Sisyphe est le héros absurde. Il l'est autant par ses passions que par son tourment. Son mépris des dieux, sa haine de la mort et sa passion pour la vie, lui ont valu ce supplice indicible où tout l'être s'emploie à ne rien achever. C'est le prix qu'il faut payer pour les passions de cette terre. On ne nous dit rien sur Sisyphe aux enfers. Les mythes sont faits pour que l'imagination les anime. Pour celui-ci on voit seulement tout l'effort d'un corps tendu pour soulever l'énorme pierre, la rouler et l'aider à gravir une pente cent fois recommencée; on voit le visage crispé, la joue collée contre la pierre, le secours d'une épaule qui reçoit la masse couverte de glaise, d'un pied qui la cale,[41] la reprise à bout de bras, la sûreté tout humaine de deux mains pleines de terre. Tout au bout de ce long effort mesuré par l'espace sans ciel et le temps sans profondeur, le but est atteint. Sisyphe regarde alors la pierre dévaler en quelques instants vers ce monde inférieur d'où il faudra la remonter vers les sommets. Il redescend dans la plaine.

C'est pendant ce retour, cette pause que Sisyphe m'intéresse. Un visage qui peine[42] si près des pierres est déjà pierre lui-même! Je vois cet homme redescendre d'un pas lourd mais égal vers le tourment dont il ne connaîtra pas la fin. Cette heure qui est comme une respiration et qui revient aussi sûrement que son malheur, cette heure est celle de la conscience. A chacun de ces instants, où il quitte les sommets et s'enfonce peu à peu vers les tanières[43] des dieux, il est supérieur à son destin. Il est plus fort que son rocher.

Si ce mythe est tragique, c'est que son héros est conscient. Où serait en effet sa peine, si à chaque pas l'espoir de réussir le soutenait? L'ouvrier d'aujourd'hui travaille, tous les jours de sa vie, aux mêmes tâches et ce destin n'est pas moins absurde. Mais il n'est tragique qu'aux rares moments où il devient conscient. Sisyphe, prolétaire des dieux, impuissant et révolté, connaît toute l'étendue de sa misérable condition: c'est à elle qu'il pense pendant sa descente. La clairvoyance qui devait faire son tourment consomme[44] du même coup sa victoire. Il n'est pas de destin qui ne se surmonte par le mépris.

*

Si la descente ainsi se fait certains jours dans la douleur, elle peut se faire aussi dans la joie. Ce mot n'est pas de trop. J'imagine encore Sisyphe revenant vers son rocher, et la douleur était au début. Quand les images de la terre tiennent trop fort au souvenir, quand l'appel du bonheur se fait trop pressant, il arrive que la tristesse se lève au cœur de l'homme: c'est la victoire du rocher, c'est le rocher lui-même. L'immense détresse est trop lourde à porter. Ce sont nos nuits de Gethsémani.[45] Mais les vérités écrasantes périssent d'être reconnues. Ainsi, Œdipe[46] obéit d'abord au destin sans le savoir. A partir du moment où il sait, sa tragédie commence. Mais dans le même instant, aveugle et désespéré, il reconnaît que le seul lien qui le rattache au monde, c'est la main fraîche d'une jeune fille. Une parole démesurée retentit alors: « Malgré tant d'épreuves,[47] mon âge avancé et la grandeur de mon âme me font juger que tout est bien. » L'Œdipe de Sophocle, comme le Kirilov[48] de Dostoïevsky, donne ainsi la formule de la victoire absurde. La sagesse antique rejoint l'héroïsme moderne.

On ne découvre pas l'absurde sans être tenté d'écrire quelque manuel du bonheur. « Eh! quoi, par des voies si étroites ...? »[49] Mais il n'y a qu'un monde. Le bonheur et l'absurde sont deux fils de la même terre. Ils sont inséparables. L'erreur serait de dire que le bonheur naît forcément de la découverte absurde. Il arrive aussi bien que le sentiment de l'absurde naisse du bonheur. « Je juge que tout est bien », dit Œdipe, et cette parole est sacrée. Elle retentit dans l'univers farouche et limité de l'homme. Elle enseigne que tout n'est pas, n'a pas été épuisé. Elle chasse de ce monde un dieu qui y était entré avec l'insatisfaction et le goût des douleurs inutiles. Elle fait du destin une affaire d'homme, qui doit être réglée entre les hommes.

Toute la joie silencieuse de Sisyphe est là. Son destin lui appartient. Son rocher est sa chose. De même, l'homme absurde, quand il contemple son tourment, fait taire toutes les idoles. Dans l'univers soudain rendu à son silence, les mille petites voix émerveillées[50] de la terre s'élèvent. Appels inconscients et secrets, invitations de tous les visages, ils sont l'envers[51] nécessaire et le prix de la victoire. Il n'y a pas de soleil sans ombre, et il faut connaître la nuit. L'homme absurde dit oui et son effort n'aura plus de cesse.[52] S'il y a un destin personnel, il n'y a point de destinée[53] supérieure ou du moins il n'en est qu'une dont il juge qu'elle est fatale et méprisable. Pour le reste, il se sait le maître de ses jours. A cet instant subtil où l'homme se retourne sur sa vie, Sisyphe revenant vers son rocher, dans ce léger pivotement, il contemple cette suite d'actions sans lien qui devient son destin, créé par lui, uni sous le regard de sa mémoire et bientôt scellé par sa mort. Ainsi, persuadé de l'origine tout humaine de tout ce qui est humain, aveugle qui désire voir et qui sait que la nuit n'a pas de fin, il est toujours en marche. Le rocher roule encore.

Je laisse Sisyphe au bas de la montagne! On retrouve toujours son fardeau. Mais Sisyphe enseigne la fidélité supérieure qui nie les dieux et soulève les rochers. Lui aussi juge que tout est bien. Cet univers désormais sans maître ne lui paraît ni stérile ni futile. Chacun des grains de cette pierre, chaque éclat minéral de cette montagne pleine de nuit, à lui seul,[54] forme un monde. La lutte elle-même vers les sommets suffit à remplir un cœur d'homme. Il faut imaginer Sisyphe heureux.

$\mathcal{L}$'Eté

Prométhée aux enfers

Camus's first works brought him instant recognition and made him, with Sartre, one of the major figures in a new generation of writers during World War II. At the same time, Camus was experiencing all the strains and anxieties of participation in the underground struggle against the Nazis. The happiness of life on the sunny beaches of Algiers seemed a thing of the past, irremediably lost. His essay, Prométhée aux enfers, *written immediately after the war, is a protest against the wrongs done to great masses of human beings by the violence of war. Prometheus, the friend of mankind who was punished by Zeus because he brought men fire, and with it all the arts, had long been a figure familiar to Camus. One of the first plays he had adapted and directed for his theater group in Algiers was Aeschylus's* Prometheus Bound *which he quotes several times in the essay. Once again, obsessed with social justice and historical fate, men have forgotten, Camus thinks, the sense of the Promethean myth, where freedom is defined both as freedom from material bondage and as the liberation of man's spirit so that all mankind may know the joy and beauty of life. This essay reflects the same horror of murder, the same despair as Camus's play,* Le Malentendu. *Yet, in the face of all this, Camus reaffirms his faith that always a few people will keep alive the Promethean belief in man.* Prométhée aux enfers *is thus very close to* La Peste, *where Camus sought to elucidate an ambiguous and tragic experience closely akin to that of the war years. Later, his play* L'Etat de siège *(1948), set in the Spanish town of Cadiz, again developed the theme of a creative Promethean revolt, this time against a bureaucratic tyranny, a new form of the age-old tyrannies that always lie in wait to enslave human societies.*

Camus's opposition to all dogmatic conceptions of man, society, and history had been reinforced by the spectacle of World War II. He was now quite sure that his own conception of man's existence was incompatible with a politically oriented neo-Marxism which accepted as a fact the premise that the dialectical movement of History is comprehensible in terms of economic forces and directed toward the liberation of the proletariat; that History reveals the presence of objective, rational forces at work in its development. Camus was only too conscious of the fact that we are immersed in our history. But he was also fully aware that no man can grasp the totality of the historical process. No point of view can be other than relative and it cannot be imposed on others as the truth itself; therefore all action is open to question and each man must make his own difficult decisions, for himself, for, and with others. No man has a transcendental view of the historical future of mankind. In the next few years Camus was deeply preoccupied by the dangers inherent in a political situation which seemed to equate further social progress with an ideology only too ready in action to justify the means by ideal and, in his eyes, problematical ends. One of the great failures he detects in our modern sensibility and literature is the desire to escape from the limiting world of the self by sacrificing it to abstract certainties imposed from outside, a denial as great as its opposite, imprisonment in a walled-in self.

« Il me semblait qu'il manquait quelque chose à la divinité tant qu'il n'existait rien à lui opposer. »

Prométhée au Caucase, Lucien.

Que signifie Prométhée[1] pour l'homme d'aujourd'hui? On pourrait dire sans doute que ce révolté dressé contre les dieux est le modèle de l'homme contemporain et que cette protestation élevée, il y a des milliers d'années, dans les déserts de la Scythie, s'achève[2] aujourd'hui dans une convulsion historique qui n'a pas son égale. Mais, en même temps, quelque chose nous dit que ce persécuté continue de l'être parmi nous et que nous sommes encore sourds au grand cri de la révolte humaine dont il donne le signal solitaire.

L'homme d'aujourd'hui est en effet celui qui souffre par masses prodigieuses sur l'étroite surface de cette terre, l'homme privé de feu et de nourriture pour qui la liberté n'est qu'un luxe qui peut attendre; et il n'est encore question pour cet homme que de souffrir un peu plus, comme il ne peut être question pour la liberté et ses derniers témoins que de disparaître un peu plus. Prométhée, lui, est ce héros qui aima assez les hommes pour leur donner en même temps le feu et la liberté, les techniques et les arts. L'humanité, aujourd'hui, n'a besoin et ne se soucie que de techniques. Elle se révolte dans ses machines, elle tient l'art et ce qu'il suppose pour un obstacle et un signe de servitude. Ce qui caractérise Prométhée, au contraire, c'est qu'il ne peut séparer la machine de l'art. Il pense qu'on peut libérer en même temps les corps et les âmes. L'homme actuel[3] croit qu'il faut d'abord libérer le corps, même si l'esprit doit mourir provisoirement. Mais l'esprit peut-il mourir provisoirement? En vérité, si Prométhée revenait, les hommes d'aujourd'hui feraient comme les dieux d'alors: ils le cloueraient au rocher, au nom même de cet humanisme dont il est le premier symbole. Les voix ennemies qui insulteraient alors le vaincu seraient les mêmes qui retentissent au seuil de la tragédie eschylienne: celles de la Force et de la Violence.[4]

Est-ce que je cède[5] au temps avare, aux arbres nus, à l'hiver du monde? Mais cette nostalgie même de lumière me donne raison: elle me parle d'un autre monde, ma vraie patrie. A-t-elle du sens encore pour quelques hommes? L'année de la guerre, je devais m'embarquer pour refaire le périple d'Ulysse.[6] A cette époque, même un jeune homme pauvre pouvait former le projet somptueux de traverser une mer à la rencontre de la lumière. Mais j'ai fait alors comme chacun. Je ne me suis pas embarqué. J'ai pris ma place dans la file qui piétinait devant la porte ouverte de

l'enfer.[7] Peu à peu, nous y sommes entrés. Et au premier
cri de l'innocence assassinée, la porte a claqué derrière
nous. Nous étions dans l'enfer, nous n'en sommes plus
jamais sortis. Depuis six longues années, nous essayons de
nous en arranger.[8] Les fantômes chaleureux[9] des îles for-
tunées ne nous apparaissent plus qu'au fond d'autres longues
années, encore à venir, sans feu ni soleil.

Dans cette Europe humide et noire, comment alors ne
pas recevoir avec un tremblement de regret et de difficile
complicité, ce cri du vieux Chateaubriand[10] à Ampère
partant en Grèce: « Vous n'aurez retrouvé ni une feuille
des oliviers, ni un grain des raisins que j'ai vus dans l'Attique. Je regrette jusqu'à l'herbe de mon temps. Je n'ai pas
eu la force de faire vivre une bruyère. »[11] Et nous aussi,
enfoncés, malgré notre jeune sang, dans la terrible vieillesse
de ce dernier siècle, nous regrettons parfois l'herbe de tous
les temps, la feuille de l'olivier que nous n'irons plus voir
pour elle-même, et les raisins de la liberté. L'homme est
partout, partout ses cris, sa douleur et ses menaces. Entre
tant de créatures assemblées, il n'y a plus de place pour les
grillons.[12] L'histoire est une terre stérile où la bruyère ne
pousse pas. L'homme d'aujourd'hui a choisi l'histoire cependant et il ne pouvait ni ne devait s'en détourner. Mais
au lieu de se l'asservir,[13] il consent tous les jours un peu
plus à en être l'esclave. C'est ici qu'il trahit Prométhée, ce
fils « aux pensers[14] hardis et au cœur léger ». C'est ici qu'il
retourne à la misère des hommes que Prométhée voulut
sauver. « Ils voyaient sans voir, ils écoutaient sans entendre,
pareils aux formes des songes .... »

Oui, il suffit d'un soir de Provence,[15] d'une colline parfaite, d'une odeur de sel, pour apercevoir que tout est encore
à faire. Nous avons à réinventer le feu, à réinstaller les
métiers pour apaiser la faim du corps. L'Attique,[16] la liberté
et ses vendanges, le pain de l'âme sont pour plus tard.
Qu'y pouvons-nous, sinon nous crier à nous-mêmes: « Ils
ne seront plus jamais ou ils seront pour d'autres » et faire
ce qu'il faut pour que ces autres au moins ne soient pas
frustrés. Nous qui sentons cela avec douleur, et qui essayons
cependant de le prendre d'un cœur sans amertume, som-

mes-nous donc en retard ou sommes-nous en avance, et aurons-nous la force de faire revivre les bruyères?

A cette question qui s'élève dans le siècle, on imagine la réponse de Prométhée. En vérité, il l'a déjà prononcée: « Je vous promets la réforme et la réparation, ô mortels, si vous êtes assez habiles, assez vertueux, assez forts pour les opérer de vos mains. »[17] S'il est donc vrai que le salut est dans nos mains, à l'interrogation du siècle je répondrai oui à cause de cette force réfléchie[18] et de ce courage renseigné que je sens toujours dans quelques hommes que je connais. « O Justice, ô ma mère, s'écrie Prométhée, tu vois ce qu'on me fait souffrir. »[17] Et Hermès[19] raille le héros: « Je suis étonné qu'étant devin,[20] tu n'aies pas prévu le supplice que tu subis. » « Je le savais », répond le révolté. Les hommes dont je parle sont eux aussi les fils de la justice. Eux aussi souffrent du malheur de tous, en connaissance de cause. Ils savent justement qu'il n'est pas de justice aveugle, que l'histoire est sans yeux et qu'il faut donc rejeter sa justice pour lui substituer, autant qu'il se peut, celle que l'esprit conçoit. C'est ici que Prométhée rentre à nouveau dans notre siècle.

Les mythes n'ont pas de vie par eux-mêmes. Ils attendent que nous les incarnions. Qu'un seul homme au monde réponde à leur appel, et ils nous offrent leur sève[21] intacte. Nous avons à préserver celui-ci et faire que son sommeil ne soit point mortel pour que la résurrection devienne possible. Je doute parfois qu'il soit permis de sauver l'homme d'aujourd'hui. Mais il est encore possible de sauver les enfants de cet homme dans leur corps et dans leur esprit. Il est possible de leur offrir en même temps les chances du bonheur et celles de la beauté. Si nous devons nous résigner à vivre sans la beauté et la liberté qu'elle signifie, le mythe de Prométhée est un de ceux qui nous rappelleront que toute mutilation de l'homme ne peut être que provisoire et qu'on ne sert rien de l'homme si on ne le sert pas tout entier. S'il a faim de pain et de bruyère, et s'il est vrai que le pain est le plus nécessaire, apprenons à préserver le souvenir de la bruyère. Au cœur[22] le plus sombre de l'histoire, les hommes de Prométhée, sans cesser leur dur métier, garderont un regard sur la terre, et sur l'herbe inlassable. Le héros enchaîné maintient dans la foudre et le tonnerre divins[23] sa foi tranquille en l'homme. C'est ainsi qu'il est plus dur que son rocher et plus patient que son vautour. Mieux que la révolte contre les dieux, c'est cette longue obstination qui a du sens pour nous. Et cette admirable volonté de ne rien séparer ni exclure qui a toujours réconcilié et réconciliera encore le cœur douloureux des hommes et les printemps du monde.

$\mathcal{L}$es Justes

All his life Camus was passionately devoted to the theater. He hoped to see a renaissance of great tragedy in our time, that is, the creation of a truly modern form of tragedy. In the 1940's he wrote four plays, Caligula, Le Malentendu, L'Etat de siège, *and* Les Justes. *First produced in 1949,* Les Justes *came a year after Jean Louis Barrault's production of* L'Etat de siège. *In contrast to the latter, which calls for a number of spectacular stage sets and techniques,* Les Justes *is as restrained and controlled in conception as a classical tragedy. It has been produced in America in little theaters with notable success, particularly in 1961 by the UCLA theater group. It is the last play Camus wrote. Before his death he was thinking of another, his own version of the legend of* Don Juan. *In the meantime he tried his hand at adapting and directing for the French stage several foreign works, among them Faulkner's* Requiem for a Nun *and Dostoevsky's* The Possessed. *These experiments were a part of his continued search for a modern tragic form.* Les Justes, *therefore, has a very special place not only in Camus's work, but also in his thought.*

Shortly after the war, Camus became alarmed about certain dogmatic neo-Hegelian and neo-Marxist views of historical evolution that were gaining ground in French political thought. In response, he was writing the series of essays later published as L'Homme révolté. *In the course of his preparations he read a volume of memoirs by a Russian terrorist of the pre-soviet 1900's named Savinkov. The events and main characters of* Les Justes *were drawn from this source, and are historically true. Camus discusses them in a chapter of* L'Homme révolté *entitled "The Scrupu-*

*lous Murderers." There, and in the short article which
follows the play in this volume, Camus contrasts these
troubled men with the "complacent" bureaucratic murderers
of our time. "La justice," he wrote, "est à la fois une idée
et une chaleur de l'âme. Sâchons la prendre dans ce qu'elle
a d'humain, sans la transformer en cette terrible passion
abstraite qui a mutilé tant d'hommes." (Actuelles I, p. 41.)*

Among the terrorists of Les Justes *who prepare and carry
out the murder of the Grand Duke Sergei, the two closest
to Camus's heart, because they keep their human warmth,
were Dora and Ivan Kaliayev. Their ideals, suffering, and
anguish express Camus's fundamental concern: how to fight
injustice without increasing it and thereby destroying pre-
cisely what one is fighting for. Nemesis, the goddess of
justice and vengeance, presides over the fate of these "just
men," who experience how tragically difficult it is to "apprendre à vivre et à mourir, et, pour être homme, refuser
d'être dieu." Here again, as in* Le Mythe de Sisyphe, *Camus
proposes a difficult ethic, born of the will not to evade
contradictory inner tensions, not to yield to the temptation
of absolutes. At the end of* L'Homme révolté *Camus defines
the difficult equilibrium he sought: "A cette heure où chacun
d'entre nous doit tendre l'arc pour refaire ses preuves,
conquérir dans et contre l'histoire ce qu'il possède déjà,
la maigre moisson de ses champs, le bref amour de cette
terre, à l'heure où naît enfin un homme, il faut laisser l'époque et ses fureurs adolescentes. L'arc se tord, le bois crie.
Au sommet de la plus haute tension va jaillir l'élan d'une
droite flèche, du trait le plus dur et le plus libre."*

O love! O life! Not life but love in death
Romeo et Juliette
Acte IV, scène 5.

PERSONNAGES

> *Dora Doulebov*
> *La Grande-Duchesse*
> *Ivan Kaliayev*
> *Stepan Fedorov*
> *Boris Annenkov*
> *Alexis Voinov*
> *Skouratov*
> *Foka*
> *Le Gardien*

Acte 1

L'appartement des terroristes.
Le matin.

> *Le rideau se lève dans le silence. Dora et Annenkov sont sur la scène, immobiles. O₁ entend le timbre[1] de l'entrée, une fois. Annenkov fait un geste pour arrêter Dora qui semble vouloir parler. Le timbre retentit deux fois, coup sur coup.*

ANNENKOV

C'est lui.

> *Il sort. Dora attend, toujours immobile. Annenkov revient avec Stepan qu'il tient par les épaules.*

ANNENKOV

C'est lui! Voilà Stepan.

DORA, *elle va vers Stepan et lui prend la main.*

Quel bonheur, Stepan!

STEPAN

Bonjour, Dora.

DORA, *elle le regarde.*

Trois ans, déjà.

STEPAN

Oui, trois ans. Le jour où ils m'ont arrêté, j'allais vous rejoindre.

DORA

Nous t'attendions. Le temps passait et mon cœur se serrait de plus en plus. Nous n'osions plus nous regarder.

ANNENKOV

Il a fallu changer d'appartement, une fois de plus.

STEPAN

Je sais.

DORA

Et là-bas, Stepan?

STEPAN

Là-bas?

DORA

Le bagne?[2]

STEPAN

On s'en évade.

ANNENKOV

Oui. Nous étions contents quand nous avons appris que tu avais pu gagner la Suisse.

STEPAN

La Suisse est un autre bagne, Boria.

ANNENKOV

Que dis-tu? Ils sont libres, au moins.

STEPAN

La liberté est un bagne aussi longtemps qu'un seul homme est asservi sur la terre. J'étais libre et je ne cessais de penser à la Russie et à ses esclaves.

Silence.

ANNENKOV

Je suis heureux, Stepan, que le parti t'ait envoyé ici.

STEPAN

Il le fallait. J'étouffais. Agir, agir enfin ...

Il regarde Annenkov.

Nous le tuerons, n'est-ce pas?

ANNENKOV

J'en suis sûr.

STEPAN

Nous tuerons ce bourreau.[3] Tu es le chef, Boria, et je t'obéirai.

ANNENKOV

Je n'ai pas besoin de ta promesse, Stepan. Nous sommes tous frères.

STEPAN

Il faut une discipline. J'ai compris cela au bagne. Le parti socialiste révolutionnaire a besoin d'une discipline. Disciplinés, nous tuerons le grand duc[4] et nous abattrons la tyrannie.

DORA, *allant vers lui.*

Assieds-toi, Stepan. Tu dois être fatigué, après ce long voyage.

STEPAN

Je ne suis jamais fatigué.

Silence. Dora va s'asseoir.

STEPAN

Tout est-il prêt, Boria?

ANNENKOV, *changeant de ton.*

Depuis un mois, deux des nôtres étudient les déplacements[5] du grand duc. Dora a réuni le matériel nécessaire.

STEPAN

La proclamation est-elle rédigée?

ANNENKOV

Oui, Toute la Russie saura que le grand duc Serge a été exécuté à la bombe par le groupe de combat du parti socialiste révolutionnaire pour hâter la libération du peuple russe. La cour impériale apprendra aussi que nous sommes décidés à exercer la terreur jusqu'à ce que la terre soit rendue au peuple. Oui, Stepan, oui, tout est prêt! Le moment approche.

STEPAN

Que dois-je faire?

ANNENKOV

Pour commencer, tu aideras Dora. Schweitzer, que tu remplaces, travaillait avec elle.

STEPAN

Il a été tué?

ANNENKOV

Oui.

STEPAN

Comment?

DORA

Un accident.

Stepan regarde Dora. Dora détourne les yeux.

STEPAN

Ensuite?

ANNENKOV

Ensuite, nous verrons. Tu dois être prêt à nous remplacer, le cas échéant,[6] et maintenir la liaison avec le Comité Central.

STEPAN

Qui sont nos camarades?

ANNENKOV

Tu as rencontré Voinov en Suisse. J'ai confiance en lui, malgré sa jeunesse. Tu ne connais pas Yanek.

STEPAN

Yanek?

ANNENKOV

Kaliayev. Nous l'appelons aussi le Poète.

STEPAN

Ce n'est pas un nom pour un terroriste.

ANNENKOV, *riant*

Yanek pense le contraire. Il dit que la poésie est révolutionnaire.

STEPAN

La bombe seule est révolutionnaire. *(Silence.)* Dora, crois-tu que je saurai t'aider?

DORA

Oui. Il faut seulement prendre garde[7] à ne pas briser le tube.

STEPAN

Et s'il se brise?

DORA

C'est ainsi que Schweitzer est mort. *(Un temps.)* Pourquoi souris-tu, Stepan?

STEPAN

Je souris?

DORA

Oui.

STEPAN

Cela m'arrive quelquefois. *(Un temps. Stepan semble réfléchir.)* Dora, une seule bombe suffirait-elle à faire sauter[8] cette maison?

DORA

Une seule, non. Mais elle l'endommagerait.

STEPAN

Combien en faudrait-il pour faire sauter Moscou?

ANNENKOV

Tu es fou! Que veux-tu dire?

STEPAN

Rien.

> *On sonne une fois. Ils écoutent et attendent. On sonne deux fois. Annenkov passe dans l'antichambre et revient avec Voinov.*

VOINOV

Stepan!

STEPAN

Bonjour.

> *Ils se serrent la main. Voinov va vers Dora et l'embrasse.*

ANNENKOV

Tout s'est bien passé, Alexis?

VOINOV

Oui.

ANNENKOV

As-tu étudié le parcours[9] du palais au théâtre?

VOINOV

Je puis maintenant le dessiner. Regarde. *(Il dessine.)* Des tournants, des voies rétrécies, des encombrements ...[10] la voiture passera sous nos fenêtres.

ANNENKOV

Que signifient ces deux croix?

VOINOV

Une petite place où les chevaux ralentiront et le théâtre où ils s'arrêteront. A mon avis, ce sont les meilleurs endroits.

ANNENKOV

Donne!

STEPAN

Les mouchards?[11]

VOINOV, *hésitant.*

Il y en a beaucoup.

STEPAN

Ils t'impressionnent?[12]

VOINOV

Je ne suis pas à l'aise.

ANNENKOV

Personne n'est à l'aise devant eux. Ne te trouble pas.

VOINOV

Je ne crains rien. Je ne m'habitue pas à mentir, voilà tout.

STEPAN

Tout le monde ment. Bien mentir, voilà ce qu'il faut.

VOINOV

Ce n'est pas facile. Lorsque j'étais étudiant, mes camarades se moquaient de moi parce que je ne savais pas dis-
simuler. Je disais ce que je pensais. Finalement, on m'a
renvoyé de l'Université.

STEPAN

Pourquoi?

VOINOV

Au cours d'histoire, le professeur m'a demandé comment
Pierre le Grand avait édifié Saint-Pétersbourg.

STEPAN

Bonne question.

VOINOV

Avec le sang et le fouet, ai-je répondu. J'ai été chassé.[13]

STEPAN

Ensuite ...

VOINOV

J'ai compris qu'il ne suffisait pas de dénoncer l'injustice.
Il fallait donner sa vie pour la combattre. Maintenant, je
suis heureux.

STEPAN

Et pourtant, tu mens?

VOINOV

Je mens. Mais je ne mentirai plus le jour où je lancerai la bombe.

> *On sonne. Deux coups, puis un seul. Dora s'élance.*

ANNENKOV

C'est Yanek.

STEPAN

Ce n'est pas le même signal.

ANNENKOV

Yanek s'est amusé à le changer. Il a son signal personnel.
> *Stepan hausse les épaules. On entend Dora parler dans l'antichambre. Entrent Dora et Kaliayev, se tenant par le bras, Kaliayev rit.*

DORA

Yanek. Voici Stepan qui remplace Schweitzer.

KALIAYEV

Sois le bienvenu, frère.

STEPAN

Merci.

> *Dora et Kaliayev vont s'asseoir, face aux autres.*

ANNENKOV

Yanek, es-tu sûr de reconnaître la calèche?[14]

KALIAYEV

Oui, je l'ai vue deux fois, à loisir. Qu'elle paraisse à l'horizon et je la reconnaîtrai entre mille! J'ai noté tous les détails. Par exemple, un des verres de la lanterne gauche est ébréché.[15]

VOINOV

Et les mouchards?

KALIAYEV

Des nuées.[16] Mais nous sommes de vieux amis. Ils m'achètent des cigarettes. *(Il rit.)*

ANNENKOV

Pavel a-t-il confirmé le renseignement?

KALIAYEV

Le grand duc ira cette semaine au théâtre. Dans un moment, Pavel connaîtra le jour exact et remettra un message au portier. *(Il se tourne vers Dora et rit.)* Nous avons de la chance, Dora.

DORA, *le regardant.*

Tu n'es plus colporteur?[17] Te voilà grand seigneur à présent. Que tu es beau. Tu ne regrettes pas ta touloupe?[18]

KALIAYEV, *il rit.*

C'est vrai, j'en étais très fier. *(A Stepan et Annenkov.)* J'ai passé deux mois à observer les colporteurs, plus d'un mois à m'exercer dans ma petite chambre. Mes collègues n'ont jamais eu de soupçons. «Un fameux gaillard,[19] disaient-ils. Il vendrait même les chevaux du tsar.» Et ils essayaient de m'imiter à leur tour.

DORA

Naturellement, tu riais.

KALIAYEV

Tu sais bien que je ne peux m'en empêcher. Ce déguisement, cette nouvelle vie ... Tout m'amusait.

DORA

Moi, je n'aime pas les déguisements. *(Elle montre sa robe.)* Et puis, cette défroque[20] luxueuse! Boria aurait pu me trouver autre chose. Une actrice! Mon cœur est simple.

KALIAYEV, *il rit.*

Tu es si jolie, avec cette robe.

DORA

Jolie! Je serais contente de l'être. Mais il ne faut pas y penser.

KALIAYEV

Pourquoi? Tes yeux sont toujours tristes, Dora. Il faut être gaie, il faut être fière. La beauté existe, la joie existe! « Aux lieux tranquilles où mon cœur te souhaitait ...

DORA, *souriant.*

Je respirais un éternel été ... »[21]

KALIAYEV

Oh! Dora, tu te souviens de ces vers. Tu souris? Comme je suis heureux ...

STEPAN, *le coupant.*

Nous perdons notre temps. Boria, je suppose qu'il faut prévenir le portier?

Kaliayev le regarde avec étonnement.

ANNENKOV

Oui. Dora, veux-tu descendre? N'oublie pas le pourboire.

Voinov t'aidera ensuite à rassembler le matériel dans la chambre.

> *Ils sortent chacun d'un côté. Stepan marche vers Annenkov d'un pas décidé.*

STEPAN

Je veux lancer la bombe.

ANNENKOV

Non, Stepan. Les lanceurs ont déjà été désignés.

STEPAN

Je t'en prie. Tu sais ce que cela signifie pour moi.

ANNENKOV

Non. La règle est la règle. *(Un silence.)* Je ne la lance pas, moi, et je vais attendre ici. La règle est dure.

STEPAN

Qui lancera la première bombe?

KALIAYEV

Moi. Voinov lance la deuxième.

STEPAN

Toi?

KALIAYEV

Cela te surprend? Tu n'as donc pas confiance en moi!

STEPAN

Il faut de l'expérience.

KALIAYEV

De l'expérience? Tu sais très bien qu'on ne la lance jamais qu'une fois et qu'ensuite... Personne ne l'a jamais lancée deux fois.

STEPAN

Il faut une main ferme.[22]

KALIAYEV, *montrant sa main.*

Regarde. Crois-tu qu'elle tremblera?

Stepan se détourne.

KALIAYEV

Elle ne tremblera pas. Quoi! J'aurais le tyran devant moi et j'hésiterais? Comment peux-tu le croire? Et si même mon bras tremblait, je sais un moyen de tuer le grand duc à coup sûr.

ANNENKOV

Lequel?

KALIAYEV

Se jeter sous les pieds des chevaux.

Stepan hausse les épaules et va s'asseoir au fond.

ANNENKOV

Non, cela n'est pas nécessaire. Il faudra essayer de fuir.
L'organisation a besoin de toi, tu dois te préserver.

KALIAYEV

J'obéirai, Boria! Quel honneur, quel honneur pour moi!
Oh! j'en serai digne.

ANNENKOV

Stepan, tu seras dans la rue, pendant que Yanek et Alexis
guetteront[23] la calèche. Tu passeras régulièrement devant
nos fenêtres et nous conviendrons d'un signal. Dora et moi
attendrons ici le moment de lancer la proclamation. Si nous
avons un peu de chance, le grand duc sera abattu.

KALIAYEV, *dans l'exaltation.*

Oui, je l'abattrai! Quel bonheur si c'est un succès! Le
grand duc, ce n'est rien. Il faut frapper plus haut!

ANNENKOV

D'abord le grand duc.

KALIAYEV

Et si c'est un échec, Boria? Vois-tu, il faudrait imiter les
Japonais.

ANNENKOV

Que veux-tu dire?

KALIAYEV

Pendant la guerre,[24] les Japonais ne se rendaient pas. Ils
se suicidaient.

ANNENKOV

Non. Ne pense pas au suicide.

KALIAYEV

A quoi donc?

ANNENKOV

A la terreur, de nouveau.

STEPAN, *parlant au fond.*

Pour se suicider, il faut beaucoup s'aimer. Un vrai révolutionnaire ne peut pas s'aimer.

KALIAYEV, *se retournant vivement.*

Un vrai révolutionnaire? Pourquoi me traites-tu ainsi? Que t'ai-je fait?

STEPAN

Je n'aime pas ceux qui entrent dans la révolution parce qu'ils s'ennuient.

ANNENKOV

Stepan!

STEPAN, *se levant et descendant vers eux.*

Oui, je suis brutal. Mais pour moi, la haine n'est pas un jeu. Nous ne sommes pas là pour nous admirer. Nous sommes là pour réussir.

KALIAYEV, *doucement.*

Pourquoi m'offenses-tu? Qui t'a dit que je m'ennuyais?

STEPAN

Je ne sais pas. Tu changes les signaux, tu aimes à jouer le rôle de colporteur, tu dis des vers, tu veux te lancer sous les pieds des chevaux, et maintenant, le suicide... *(Il le regarde.)* Je n'ai pas confiance en toi.

KALIAYEV, *se dominant.*

Tu ne me connais pas, frère. J'aime la vie. Je ne m'ennuie pas. Je suis entré dans la révolution parce que j'aime la vie.

STEPAN

Je n'aime pas la vie, mais la justice qui est au-dessus de la vie.

KALIAYEV, *avec un effort visible.*

Chacun sert la justice comme il peut. Il faut accepter que nous soyons différents. Il faut nous aimer, si nous le pouvons.

STEPAN

Nous ne le pouvons pas.

KALIAYEV, *éclatant.*

Que fais-tu donc parmi nous?

STEPAN

Je suis venu pour tuer un homme, non pour l'aimer ni pour saluer sa différence.

KALIAYEV, *violemment.*

Tu ne le tueras pas seul ni au nom de rien. Tu le tueras avec nous et au nom du peuple russe. Voilà ta justification.

STEPAN, *même jeu.*

Je n'en ai pas besoin. J'ai été justifié en une nuit, et pour toujours, il y a trois ans, au bagne. Et je ne supporterai pas ...

ANNENKOV

Assez! Etes-vous donc fous? Vous souvenez-vous de qui nous sommes? Des frères, confondus les uns aux autres, tournés vers l'exécution des tyrans, pour la libération du pays! Nous tuons ensemble, et rien ne peut nous séparer. *(Silence. Il les regarde.)* Viens, Stepan, nous devons convenir des signaux ...

Stepan sort.

ANNENKOV, *à Kaliayev.*

Ce n'est rien. Stepan a souffert. Je lui parlerai.

KALIAYEV, *très pâle.*

Il m'a offensé, Boria.

Entre Dora.

DORA, *apercevant Kaliayev.*

Qu'y a-t-il?

ANNENKOV

Rien.

Il sort.

DORA, *à Kaliayev.*

Qu'y a-t-il?

KALIAYEV

Nous nous sommes heurtés,[25] déjà. Il ne m'aime pas.

Dora va s'asseoir, en silence. Un temps.

DORA

Je crois qu'il n'aime personne. Quand tout sera fini, il sera plus heureux. Ne sois pas triste.

KALIAYEV

Je suis triste. J'ai besoin d'être aimé de vous tous. J'ai tout quitté pour l'Organisation. Comment supporter que mes frères se détournent de moi? Quelquefois, j'ai l'impression qu'ils ne me comprennent pas. Est-ce ma faute? Je suis maladroit, je le sais ...

DORA

Ils t'aiment et te comprennent. Stepan est différent.

KALIAYEV

Non. Je sais ce qu'il pense. Schweitzer le disait déjà:

« Trop extraordinaire pour être révolutionnaire. » Je voudrais leur expliquer que je ne suis pas extraordinaire. Ils me trouvent un peu fou, trop spontané. Pourtant, je crois comme eux à l'idée. Comme eux, je veux me sacrifier. Moi aussi, je puis être adroit, taciturne, dissimulé, efficace. Seulement, la vie continue de me paraître merveilleuse. J'aime la beauté, le bonheur! C'est pour cela que je hais le despotisme. Comment leur expliquer? La révolution, bien sûr! Mais la révolution pour la vie, pour donner une chance à la vie, tu comprends?

DORA, *avec élan.*

Oui ... (*Plus bas, après un silence.*) Et pourtant, nous allons donner la mort.

KALIAYEV

Qui, nous? ... Ah, tu veux dire ... Ce n'est pas la même chose. Oh non! ce n'est pas la même chose. Et puis, nous tuons pour bâtir un monde où plus jamais personne ne tuera! Nous acceptons d'être criminels pour que la terre se couvre enfin d'innocents.

DORA

Et si cela n'était pas?

KALIAYEV

Tais-toi, tu sais bien que c'est impossible. Stepan aurait raison alors. Et il faudrait cracher à la figure de la beauté.

DORA

Je suis plus vieille que toi dans l'organisation. Je sais que rien n'est simple. Mais tu as la foi ... Nous avons tous besoin de foi.

KALIAYEV

La foi? Non. Un seul l'avait.[26]

DORA

Tu as la force de l'âme. Et tu écarteras tout pour aller jusqu'au bout. Pourquoi as-tu demandé à lancer la première bombe?

KALIAYEV

Peut-on parler de l'action terroriste sans y prendre part?

DORA

Non.

KALIAYEV

Il faut être au premier rang.

DORA, *qui semble réfléchir*.

Oui. Il y a le premier rang et il y a le dernier moment.
Nous devons y penser. Là est le courage, l'exaltation dont
nous avons besoin ... dont tu as besoin.

KALIAYEV

Depuis un an, je ne pense à rien d'autre. C'est pour ce
moment que j'ai vécu jusqu'ici. Et je sais maintenant que
je voudrais périr sur place, à côté du grand duc. Perdre mon
sang jusqu'à la dernière goutte, ou bien brûler d'un seul
coup, dans la flamme de l'explosion, et ne rien laisser derrière moi. Comprends-tu pourquoi j'ai demandé à lancer la
bombe? Mourir pour l'idée, c'est la seule façon d'être à la
hauteur de l'idée. C'est la justification.[27]

DORA

Moi aussi, je désire cette mort-là.

KALIAYEV

Oui, c'est un bonheur qu'on peut envier. La nuit, je me
retourne parfois sur ma paillasse de colporteur. Une pensée
me tourmente: ils ont fait de nous des assassins. Mais je
pense en même temps que je vais mourir, et alors mon cœur
s'apaise. Je souris, vois-tu, et je me rendors comme un
enfant.

DORA

C'est bien ainsi, Yanek. Tuer et mourir. Mais, à mon avis,
il est un bonheur encore plus grand. *(Un temps. Kaliayev
la regarde. Elle baisse les yeux.)* L'échafaud.

KALIAYEV, *avec fièvre*.

J'y ai pensé. Mourir au moment de l'attentat laisse quelque chose d'inachevé. Entre l'attentat et l'échafaud, au
contraire, il y a toute une éternité, la seule peut-être, pour
l'homme.

DORA, *d'une voix pressante, lui prenant les mains*.

C'est la pensée qui doit t'aider. Nous payons plus que
nous ne devons.

KALIAYEV

Que veux-tu dire?

DORA

Nous sommes obligés de tuer, n'est-ce pas? Nous sacri-fions délibérément une vie et une seule?

KALIAYEV

Oui.

DORA

Mais aller vers l'attentat et puis vers l'échafaud, c'est donner deux fois sa vie. Nous payons plus que nous ne devons.

KALIAYEV

Oui, c'est mourir deux fois. Merci, Dora. Personne ne peut rien nous reprocher. Maintenant, je suis sûr de moi.

Silence.

Qu'as-tu, Dora? Tu ne dis rien?

DORA

Je voudrais encore t'aider. Seulement ...

KALIAYEV

Seulement?

DORA

Non, je suis folle.

KALIAYEV

Tu te méfies de moi?

DORA

Oh non, mon chéri, je me méfie de moi. Depuis la mort de Schweitzer, j'ai parfois de singulières idées. Et puis, ce n'est pas à moi de te dire ce qui sera difficile.

KALIAYEV

J'aime ce qui est difficile. Si tu m'estimes, parle.

DORA, *le regardant.*

Je sais. Tu es courageux. C'est cela qui m'inquiète. Tu ris, tu t'exaltes, tu marches au sacrifice, plein de ferveur. Mais dans quelques heures, il faudra sortir de ce rêve, et agir. Peut-être vaut-il mieux en parler à l'avance ... pour éviter une surprise, une défaillance ...[28]

KALIAYEV

Je n'aurai pas de défaillance. Dis ce que tu penses.

DORA

Eh bien, l'attentat, l'échafaud, mourir deux fois, c'est le plus facile. Ton cœur y suffira. Mais le premier rang ...

(Elle se tait, le regarde et semble hésiter.) Au premier rang, tu vas le voir ...

KALIAYEV

Qui?

DORA

Le grand-duc.

KALIAYEV

Une seconde, à peine.

DORA

Une seconde où tu le regarderas! Oh! Yanek, il faut que tu saches, il faut que tu sois prévenu. Un homme est un homme. Le grand duc a peut-être des yeux compatissants. Tu le verras se gratter l'oreille ou sourire joyeusement. Qui sait, il portera peut-être une petite coupure de rasoir. Et s'il te regarde à ce moment-là ...

KALIAYEV

Ce n'est pas lui que je tue. Je tue le despotisme.

DORA

Bien sûr, bien sûr. Il faut tuer le despotisme. Je préparerai la bombe et en scellant le tube, tu sais, au moment le plus difficile, quand les nerfs se tendent, j'aurai cependant un étrange bonheur dans le cœur. Mais je ne connais pas le grand duc et ce serait moins facile si, pendant ce temps, il était assis devant moi. Toi, tu vas le voir de près. De très près ...

KALIAYEV, *avec violence.*

Je ne le verrai pas.

DORA

Pourquoi? Fermeras-tu les yeux?

KALIAYEV

Non. Mais Dieu aidant, la haine me viendra au bon moment, et m'aveuglera.

> *On sonne. Un seul coup. Ils s'immobilisent. Entrent Stepan et Voinov.*
> *Voix dans l'antichambre.*
> *Entre Annenkov.*

ANNENKOV

C'est le portier. Le grand-duc ira au théâtre demain. *(Il les regarde.)* Il faut que tout soit prêt, Dora.

DORA, *d'une voix sourde.*

Oui. *(Elle sort lentement.)*

KALIAYEV, *la regarde sortir et d'une voix douce, se tournant vers Stepan.*

Je le tuerai. Avec joie!

Rideau.

Acte 2

Le lendemain soir. Même lieu.

Annenkov est à la fenêtre. Dora près de la table.

ANNENKOV

Ils sont en place. Stepan a allumé sa cigarette.

DORA

A quelle heure le grand-duc doit-il passer?

ANNENKOV

D'un moment à l'autre. Ecoute. N'est-ce pas une calèche? Non.

DORA

Assieds-toi. Sois patient.

ANNENKOV

Et les bombes?

DORA

Assieds-toi. Nous ne pouvons plus rien faire.

ANNENKOV

Si. Les envier.

DORA

Ta place est ici. Tu es le chef.

ANNENKOV

Je suis le chef. Mais Yanek vaut mieux que moi et c'est lui qui, peut-être ...

DORA

Le risque est le même pour tous. Celui qui lance et celui qui ne lance pas.

ANNENKOV

Le risque est finalement le même. Mais pour le moment, Yanek et Alexis sont sur la ligne de feu. Je sais que je ne dois pas être avec eux. Quelquefois, pourtant, j'ai peur de consentir trop facilement à mon rôle. C'est commode, après tout, d'être forcé de ne pas lancer la bombe.

DORA

Et quand cela serait? L'essentiel est que tu fasses ce qu'il faut, et jusqu'au bout.

ANNENKOV

Comme tu es calme!

DORA

Je ne suis pas calme: j'ai peur. Voilà trois ans que je suis avec vous, deux ans que je fabrique les bombes. J'ai tout exécuté et je crois que je n'ai rien oublié.

ANNENKOV

Bien sûr, Dora.

DORA

Eh bien, voilà trois ans que j'ai peur, de cette peur qui vous quitte à peine avec le sommeil, et qu'on retrouve toute fraîche au matin. Alors il a fallu que je m'habitue. J'ai appris à être calme au moment où j'ai le plus peur. Il n'y a pas de quoi être fière.

ANNENKOV

Sois fière, au contraire. Moi, je n'ai rien dominé. Sais-tu que je regrette les jours d'autrefois, la vie brillante, les femmes ... Oui, j'aimais les femmes, le vin, ces nuits qui n'en finissaient pas.

DORA

Je m'en doutais,[29] Boria. C'est pourquoi je t'aime tant. Ton cœur n'est pas mort. Même s'il désire encore le plaisir, cela vaut mieux que cet affreux silence qui s'installe, parfois, à la place même du cri.

ANNENKOV

Que dis-tu là? Toi? Ce n'est pas possible?

DORA

Ecoute.

Dora se dresse[30] *brusquement. Un bruit de calèche, puis le silence.*

DORA

Non. Ce n'est pas lui. Mon cœur bat. Tu vois, je n'ai encore rien appris.

ANNENKOV, *il va à la fenêtre.*

Attention. Stepan fait un signe. C'est lui.

On entend en effet un roulement lointain de calèche, qui se rapproche de plus en plus, passe sous les fenêtres et commence à s'éloigner. Long silence.

ANNENKOV

Dans quelques secondes ...

Ils écoutent.

ANNENKOV

Comme c'est long.

Dora fait un geste. Long silence.

On entend des cloches, au loin.

ANNENKOV

Ce n'est pas possible. Yanek aurait déjà lancé sa bombe ... la calèche doit être arrivée au théâtre. Et Alexis? Regarde! Stepan revient sur ses pas et court vers le théâtre.

DORA, *se jetant sur lui.*

Yanek est arrêté. Il est arrêté, c'est sûr. Il faut faire quelque chose.

ANNENKOV

Attends. *(Il écoute.)* Non. C'est fini.

DORA

Comment est-ce arrivé? Yanek, arrêté sans avoir rien fait! Il était prêt à tout, je le sais. Il voulait la prison, et le procès. Mais après avoir tué le grand-duc! Pas ainsi, non, pas ainsi!

ANNENKOV, *regardant au dehors.*

Voinov! Vite!

Dora va ouvrir.

Entre Voinov, le visage décomposé.

ANNENKOV

Alexis, vite, parle.

VOINOV

Je ne sais rien. J'attendais la première bombe. J'ai vu la voiture prendre le tournant[31] et rien ne s'est passé. J'ai perdu

la tête. J'ai cru qu'au dernier moment, tu avais changé nos
plans, j'ai hésité. Et puis, j'ai couru jusqu'ici ...

ANNENKOV

Et Yanek?

VOINOV

Je ne l'ai pas vu.

DORA

Il est arrêté.

ANNENKOV, *regardant toujours dehors.*

Le voilà!

*Même jeu de scène. Entre Kaliayev, le visage couvert
de larmes.*

KALIAYEV, *dans l'égarement.*

Frères, pardonnez-moi. Je n'ai pas pu.

Dora va vers lui et lui prend la main.

DORA

Ce n'est rien.

ANNENKOV

Que s'est-il passé?

DORA, *à Kaliayev.*

Ce n'est rien. Quelquefois, au dernier moment, tout
s'écroule.[32]

ANNENKOV

Mais ce n'est pas possible.

DORA

Laisse-le. Tu n'es pas le seul, Yanek. Schweitzer, non
plus, la première fois, n'a pas pu.

ANNENKOV

Yanek, tu as eu peur?

KALIAYEV, *sursautant.*

Peur, non. Tu n'as pas le droit!

*On frappe le signal convenu. Voinov sort sur un signe
d'Annenkov. Kaliayev est prostré. Silence. Entre
Stepan.*

ANNENKOV

Alors?

STEPAN

Il y avait des enfants dans la calèche du grand-duc.

ANNENKOV

Des enfants?

STEPAN

Oui. Le neveu et la nièce du grand-duc.

ANNENKOV

Le grand-duc devait être seul, selon Orlov.

STEPAN

Il y avait aussi la grande-duchesse. Cela faisait trop de monde, je suppose, pour notre poète. Par bonheur, les mouchards n'ont rien vu.

Annenkov parle à voix basse à Stepan. Tous regardent Kaliayev qui lève les yeux vers Stepan.

KALIAYEV, *égaré.*

Je ne pouvais pas prévoir ... Des enfants, des enfants surtout. As-tu regardé des enfants? Ce regard grave qu'ils ont parfois ... Je n'ai jamais pu soutenir ce regard ... Une seconde auparavant, pourtant, dans l'ombre, au coin de la petite place, j'étais heureux. Quand les lanternes de la calèche ont commencé à briller au loin, mon cœur s'est mis à battre de joie, je te le jure. Il battait de plus en plus fort à mesure que[33] le roulement de la calèche grandissait. Il faisait tant de bruit en moi. J'avais envie de bondir.[34] Je crois que je riais. Et je disais « oui, oui » ... Tu comprends?

Il quitte Stepan du regard et reprend son attitude affaissée.

J'ai couru vers elle.[35] C'est à ce moment que je les ai vus. Ils ne riaient pas, eux. Ils se tenaient tout droits et regardaient dans le vide. Comme ils avaient l'air triste! Perdus dans leurs habits de parade, les mains sur les cuisses, le buste raide de chaque côté de la portière! Je n'ai pas vu la grande-duchesse. Je n'ai vu qu'eux. S'ils m'avaient regardé, je crois que j'aurais lancé la bombe. Pour éteindre au moins ce regard triste. Mais ils regardaient toujours devant eux.

Il lève les yeux vers les autres. Silence. Plus bas encore.

Alors, je ne sais pas ce qui s'est passé. Mon bras est devenu faible. Mes jambes tremblaient. Une seconde après, il était trop tard. *(Silence. Il regarde à terre.)* Dora, ai-je rêvé, il m'a semblé que les cloches sonnaient à ce moment-là?

DORA

Non, Yanek, tu n'as pas rêvé.

Elle pose la main sur son bras. Kaliayev relève la tête et les voit tous tournés vers lui. Il se lève.

KALIAYEV

Regardez-moi, frères, regarde-moi, Boria, je ne suis pas un lâche, je n'ai pas reculé. Je ne les attendais pas. Tout s'est passé trop vite. Ces deux petits visages sérieux et dans ma main, ce poids terrible. C'est sur eux qu'il fallait le lancer. Ainsi. Tout droit. Oh, non! Je n'ai pas pu.

Il tourne son regard de l'un à l'autre.

Autrefois, quand je conduisais la voiture, chez nous, en Ukraine, j'allais comme le vent, je n'avais peur de rien. De rien au monde, sinon de renverser[36] un enfant. J'imaginais le choc, cette tête frêle frappant la route, à la volée ...[37]

Il se tait.

Aidez-moi ...

Silence.

Je voulais me tuer. Je suis revenu parce que je pensais que je vous devais des comptes, que vous étiez mes seuls juges, que vous me diriez si j'avais tort ou raison, que vous ne pouviez pas vous tromper. Mais vous ne dites rien.

Dora se rapproche de lui, à le toucher. Il les regarde, et, d'une voix morne:

Voilà ce que je propose. Si vous décidez qu'il faut tuer ces enfants, j'attendrai la sortie du théâtre et je lancerai seul la bombe sur la calèche. Je sais que je ne manquerai pas mon but.[38] Décidez seulement, j'obéirai à l'Organisation.

STEPAN

L'organisation t'avait commandé de tuer le grand-duc.

KALIAYEV

C'est vrai. Mais elle ne m'avait pas demandé d'assassiner des enfants.

ANNENKOV

Yanek a raison. Ceci n'était pas prévu.

STEPAN

Il devait obéir.

ANNENKOV

Je suis le responsable. Il fallait que tout fût prévu et que personne ne pût hésiter sur ce qu'il y avait à faire. Il faut seulement décider si nous laissons échapper définitivement cette occasion ou si nous ordonnons à Yanek d'attendre la sortie du théâtre. Alexis?

VOINOV

Je ne sais pas. Je crois que j'aurais fait comme Yanek. Mais je ne suis pas sûr de moi. *(Plus bas)*. Mes mains tremblent.

ANNENKOV

Dora?

DORA, *avec violence*.

J'aurais reculé, comme Yanek. Puis-je conseiller aux autres ce que moi-même je ne pourrais pas faire.

STEPAN

Est-ce que vous vous rendez compte de ce que signifie cette décision? Deux mois de filatures,[39] de terribles dangers courus et évités, deux mois perdus à jamais. Egor arrêté pour rien. Rikov pendu pour rien. Et il faudrait recommencer? Encore de longues semaines de veilles et de ruses, de tension incessante, avant de retrouver l'occasion propice? Etes-vous fous?

ANNENKOV

Dans deux jours, le grand-duc retournera au théâtre, tu le sais bien.

STEPAN

Deux jours où nous risquons d'être pris, tu l'as dit toi-même.

KALIAYEV

Je pars.

DORA

Attends! *(A Stepan.)* Pourrais-tu, toi, Stepan, les yeux ouverts, tirer à bout portant[40] sur un enfant?

STEPAN

Je le pourrais si l'Organisation le commandait.

DORA

Pourquoi fermes-tu les yeux?

STEPAN

Moi? J'ai fermé les yeux?

DORA

Oui.

STEPAN

Alors, c'était pour mieux imaginer la scène et répondre en connaissance de cause.[41]

DORA

Ouvre les yeux et comprends que l'Organisation perdrait ses pouvoirs et son influence si elle tolérait, un seul moment, que des enfants fussent broyés[42] par nos bombes.

STEPAN

Je n'ai pas assez de cœur pour ces niaiseries.[43] Quand nous nous déciderons à oublier les enfants, ce jour-là, nous serons les maîtres du monde et la révolution triomphera.

DORA

Ce jour-là, la révolution sera haïe de l'humanité entière.

STEPAN

Qu'importe si nous l'aimons assez fort pour l'imposer à l'humanité entière et la sauver d'elle-même et de son esclavage.

DORA

Et si l'humanité entière rejette la révolution? Et si le peuple entier, pour qui tu luttes, refuse que ses enfants soient tués? Faudra-t-il le frapper aussi?

STEPAN

Oui, s'il le faut, et jusqu'à ce qu'il comprenne. Moi aussi, j'aime le peuple.

DORA

L'amour n'a pas ce visage.

STEPAN

Qui le dit?

DORA

Moi, Dora.

STEPAN

Tu es une femme et tu as une idée malheureuse de l'amour.

DORA, *avec violence.*

Mais j'ai une idée juste de ce qu'est la honte.

STEPAN

J'ai eu honte de moi-même, une seule fois, et par la faute des autres. Quand on m'a donné le fouet. Car on m'a donné le fouet. Le fouet, savez-vous ce qu'il est? Véra était près de moi et elle s'est suicidée par protestation. Moi, j'ai vécu. De quoi aurais-je honte, maintenant?

ANNENKOV

Stepan, tout le monde ici t'aime et te respecte. Mais quelles que soient tes raisons, je ne puis te laisser dire que tout est permis. Des centaines de nos frères sont morts pour qu'on sache que tout n'est pas permis.

STEPAN

Rien n'est défendu de ce qui peut servir notre cause.

ANNENKOV, *avec colère.*

Est-il permis de rentrer dans la police et de jouer sur deux tableaux,[44] comme le proposait Evno? Le ferais-tu?

STEPAN

Oui, s'il le fallait.

ANNENKOV, *se levant.*

Stepan, nous oublierons ce que tu viens de dire, en considération de ce que tu as fait pour nous et avec nous. Souviens-toi seulement de ceci. Il s'agit de savoir si, tout à l'heure, nous lancerons des bombes contre ces deux enfants.

STEPAN

Des enfants! Vous n'avez que ce mot à la bouche. Ne comprenez-vous donc rien? Parce que Yanek n'a pas tué ces deux-là, des milliers d'enfants russes mourront de faim pendant des années encore. Avez-vous vu des enfants mourir de faim? Moi, oui. Et la mort par la bombe est un enchantement à côté de cette mort-là. Mais Yanek ne les a pas vus. Il n'a vu que les deux chiens savants[45] du grand-duc. N'êtes-vous donc pas des hommes? Vivez-vous dans le seul instant? Alors choisissez la charité et guérissez seulement le mal de chaque jour, non la révolution qui veut guérir tous les maux, présents et à venir.

DORA

Yanek accepte de tuer le grand-duc puisque sa mort peut avancer le temps où les enfants russes ne mourront plus de faim. Cela déjà n'est pas facile. Mais la mort des neveux du grand-duc n'empêchera aucun enfant de mourir de faim. Même dans la destruction, il y a un ordre, il y a des limites.[46]

STEPAN, *violemment.*

Il n'y a pas de limites. La vérité est que vous ne croyez pas à la révolution. *(Tous se lèvent, sauf Yanek.)* Vous n'y croyez pas. Si vous y croyiez totalement, complètement, si vous étiez sûrs que par nos sacrifices et nos victoires, nous arriverons à bâtir une Russie libérée du despotisme, une terre de liberté qui finira par recouvrir le monde entier, si vous ne doutiez pas qu'alors, l'homme, libéré de ses maîtres et de ses préjugés, lèvera vers le ciel la face des vrais dieux, que pèserait la mort de deux enfants? Vous vous reconnaîtriez tous les droits,[47] tous, vous m'entendez. Et si cette mort vous arrête, c'est que vous n'êtes pas sûrs d'être dans votre droit.[48] Vous ne croyez pas à la révolution.

Silence. Kaliayev se lève.

KALIAYEV

Stepan, j'ai honte de moi et pourtant je ne te laisserai pas continuer. J'ai accepté de tuer pour renverser le despotisme. Mais derrière ce que tu dis, je vois s'annoncer un despotisme qui, s'il s'installe jamais, fera de moi un assassin alors que j'essaie d'être un justicier.

STEPAN

Qu'importe que tu ne sois pas un justicier, si justice est faite, même par des assassins. Toi et moi, ne sommes rien.

KALIAYEV

Nous sommes quelque chose et tu le sais bien puisque c'est au nom de ton orgueil que tu parles encore aujourd'hui.

STEPAN

Mon orgueil ne regarde que moi. Mais l'orgueil des hommes, leur révolte, l'injustice où ils vivent, cela, c'est notre affaire à tous.

KALIAYEV

Les hommes ne vivent pas que de justice.

STEPAN

Quand on leur vole le pain, de quoi vivraient-ils donc, sinon de justice?

KALIAYEV

De justice et d'innocence.

STEPAN

L'innocence? Je la connais peut-être.[49] Mais j'ai choisi de l'ignorer et de la faire ignorer à des milliers d'hommes pour qu'elle prenne un jour un sens plus grand.

KALIAYEV

Il faut être bien sûr que ce jour arrive pour nier tout ce qui fait qu'un homme consente à vivre.

STEPAN

J'en suis sûr.

KALIAYEV

Tu ne peux pas l'être. Pour savoir qui, de toi ou de moi, a raison, il faudra peut-être le sacrifice de trois générations, plusieurs guerres, de terribles révolutions. Quand cette pluie de sang aura séché sur la terre, toi et moi serons mêlés depuis longtemps à la poussière.

STEPAN

D'autres viendront alors, et je les salue comme mes frères.

KALIAYEV, *criant.*

D'autres ... Oui! Mais moi, j'aime ceux qui vivent aujourd'hui sur la même terre que moi, et c'est eux que je salue. C'est pour eux que je lutte et que je consens à mourir. Et pour une cité lointaine, dont je ne suis pas sûr, je n'irai pas frapper le visage de mes frères. Je n'irai pas ajouter à l'injustice vivante pour une justice morte. *(Plus bas, mais fermement.)* Frères, je veux vous parler franchement et vous dire au moins ceci que pourrait dire le plus simple de nos paysans: tuer des enfants est contraire à l'honneur. Et, si un jour, moi vivant, la révolution devait se séparer de l'honneur, je m'en détournerais. Si vous le décidez, j'irai tout à l'heure à la sortie du théâtre, mais je me jetterai sous les chevaux.

STEPAN

L'honneur est un luxe réservé à ceux qui ont des calèches.

KALIAYEV

Non. Il est la dernière richesse du pauvre. Tu le sais bien et tu sais aussi qu'il y a un honneur dans la révolution. C'est celui pour lequel nous acceptons de mourir. C'est celui qui t'a dressé un jour sous le fouet,[50] Stepan, et qui te fait parler encore aujourd'hui.

STEPAN, *dans un cri.*

Tais-toi. Je te défends de parler de cela.

KALIAYEV, *emporté.*

Pourquoi me tairais-je? Je t'ai laissé dire que je ne croyais pas à la révolution. C'était me dire que j'étais capable de tuer le grand-duc pour rien, que j'étais un assassin. Je te l'ai laissé dire et je ne t'ai pas frappé.

ANNENKOV

Yanek!

STEPAN

C'est tuer pour rien, parfois, que de ne pas tuer assez.

ANNENKOV

Stepan, personne ici n'est de ton avis. La décision est prise.

STEPAN

Je m'incline donc. Mais je répéterai que la terreur ne convient pas aux délicats. Nous sommes des meurtriers et nous avons choisi de l'être.

KALIAYEV, *hors de lui.*

Non. J'ai choisi de mourir pour que le meurtre ne triomphe pas. J'ai choisi d'être innocent.

ANNENKOV

Yanek et Stepan, assez! L'Organisation décide que le meurtre de ces enfants est inutile. Il faut reprendre la filature. Nous devons être prêts à recommencer dans deux jours.

STEPAN

Et si les enfants sont encore là?

ANNENKOV

Nous attendrons une nouvelle occasion.

STEPAN

Et si la grande-duchesse accompagne le grand-duc?

KALIAYEV

Je ne l'épargnerai pas.

ANNENKOV

Ecoutez.

Un bruit de calèche. Kaliayev se dirige irrésistiblement vers la fenêtre. Les autres attendent. La calèche se rapproche, passe sous les fenêtres et disparaît.

VOINOV, *regardant Dora, qui vient vers lui.*

Recommencer, Dora ...

STEPAN, *avec mépris.*

Oui, Alexis, recommencer ... Mais il faut bien faire quelque chose pour l'honneur!

Rideau.

Acte 3

Même lieu, même heure, deux jours après.

STEPAN

Que fait Voinov? Il devrait être là.

ANNENKOV

Il a besoin de dormir. Et nous avons encore une demi-
heure devant nous.

STEPAN

Je puis aller aux nouvelles.

ANNENKOV

Non. Il faut limiter les risques.

Silence.

ANNENKOV

Yanek, pourquoi ne dis-tu rien?

KALIAYEV

Je n'ai rien à dire. Ne t'inquiète pas.

On sonne.

KALIAYEV

Le voilà.

Entre Voinov.

ANNENKOV

As-tu dormi?

VOINOV

Un peu, oui.

ANNENKOV

As-tu dormi la nuit entière?

VOINOV

Non.

ANNENKOV

Il le fallait. Il y a des moyens.

VOINOV

J'ai essayé. J'étais trop fatigué.

ANNENKOV

Tes mains tremblent.

VOINOV

Non.

Tous le regardent.

Qu'avez-vous à me regarder? Ne peut-on être fatigué?

ANNENKOV

On peut être fatigué. Nous pensons à toi.

VOINOV, *avec une violence soudaine.*

Il fallait y penser avant-hier. Si la bombe avait été lancée, il y a deux jours, nous ne serions plus fatigués.

KALIAYEV

Pardonne-moi, Alexis. J'ai rendu les choses plus difficiles.

VOINOV, *plus bas.*

Qui dit cela? Pourquoi plus difficiles? Je suis fatigué, voilà tout.

DORA

Tout ira vite, maintenant. Dans une heure, ce sera fini.

VOINOV

Oui, ce sera fini. Dans une heure ...

Il regarde autour de lui. Dora va vers lui et lui prend la main. Il abandonne sa main, puis l'arrache avec violence.

VOINOV

Boria, je voudrais te parler.

ANNENKOV

En particulier?[51]

VOINOV

En particulier.

Ils se regardent. Kaliayev, Dora et Stepan sortent.

ANNENKOV

Qu'y a-t-il?

Voinov se tait.

Dis-le moi, je t'en prie.

VOINOV

J'ai honte, Boria.

Silence.

VOINOV

J'ai honte. Je dois te dire la vérité.

ANNENKOV

Tu ne veux pas lancer la bombe?

VOINOV

Je ne pourrais pas la lancer.

ANNENKOV

As-tu peur? N'est-ce que cela? Il n'y a pas de honte.

VOINOV

J'ai peur et j'ai honte d'avoir peur.

ANNENKOV

Mais avant-hier, tu étais joyeux et fort. Lorsque tu es parti, tes yeux brillaient.

VOINOV

J'ai toujours eu peur. Avant-hier, j'avais rassemblé mon courage, voilà tout. Lorsque j'ai entendu la calèche rouler au loin, je me suis dit: « Allons! Plus qu'une minute. »[52] Je serrais les dents. Tous mes muscles étaient tendus. J'allais lancer la bombe avec autant de violence que si elle devait tuer le grand-duc sous le choc. J'attendais la première explosion pour faire éclater toute cette force accumulée en moi. Et puis, rien. La calèche est arrivée sur moi. Comme elle roulait vite! Elle m'a dépassé. J'ai compris alors que Yanek n'avait pas lancé la bombe. A ce moment, un froid terrible m'a saisi. Et tout d'un coup, je me suis senti faible comme un enfant.

ANNENKOV

Ce n'était rien, Alexis. La vie reflue[53] ensuite.

VOINOV

Depuis deux jours, la vie n'est pas revenue. Je t'ai menti tout à l'heure, je n'ai pas dormi cette nuit. Mon cœur battait trop fort. Oh! Boria, je suis désespéré.

ANNENKOV

Tu ne dois pas l'être. Nous avons tous été comme toi. Tu ne lanceras pas la bombe. Un mois de repos en Finlande, et tu reviendras parmi nous.

VOINOV

Non. C'est autre chose. Si je ne lance pas la bombe maintenant, je ne la lancerai jamais.

ANNENKOV

Quoi donc?

VOINOV

Je ne suis pas fait pour la terreur. Je le sais maintenant.
Il vaut mieux que je vous quitte. Je militerai dans les comités, à la propagande.

ANNENKOV

Les risques sont les mêmes.

VOINOV

Oui, mais on peut agir en fermant les yeux. On ne sait
rien.

ANNENKOV

Que veux-tu dire?

VOINOV, *avec fièvre.*

On ne sait rien. C'est facile d'avoir des réunions, de discuter la situation et de transmettre ensuite l'ordre d'exécution. On risque sa vie, bien sûr, mais à tâtons,[54] sans rien
voir. Tandis que se tenir debout, quand le soir tombe sur
la ville, au milieu de la foule de ceux qui pressent le pas
pour retrouver la soupe brûlante, des enfants, la chaleur
d'une femme, se tenir debout et muet, avec le poids de la
bombe au bout du bras, et savoir que dans trois minutes,
dans deux minutes, dans quelques secondes, on s'élancera
au-devant d'une calèche étincelante, voilà la terreur. Et je
sais maintenant que je ne pourrai recommencer sans me
sentir vidé de mon sang. Oui, j'ai honte. J'ai visé trop haut.
Il faut que je travaille à ma place. Une toute petite place.
La seule dont je sois digne.

ANNENKOV

Il n'y a pas de petite place. La prison et la potence[55]
sont toujours au bout.

VOINOV

Mais on ne les voit pas comme on voit celui qu'on va
tuer. Il faut les imaginer. Par chance,[56] je n'ai pas d'imagination. *(Il rit nerveusement.)* Je ne suis jamais arrivé à

croire réellement à la police secrète. Bizarre, pour un terroriste, hein? Au premier coup de pied dans le ventre, j'y
croirai. Pas avant.

ANNENKOV

Et une fois en prison? En prison, on sait et on voit. Il
n'y a plus d'oubli.

VOINOV

En prison, il n'y a pas de décision à prendre. Oui, c'est
cela, ne plus prendre de décision! N'avoir plus à se dire:
« Allons, c'est à toi, il faut que, toi, tu décides de la seconde
où tu vas t'élancer. » Je suis sûr maintenant que si je suis
arrêté, je n'essaierai pas de m'évader. Pour s'évader, il faut
encore de l'invention, il faut prendre l'initiative. Si on ne
s'évade pas, ce sont les autres qui gardent l'initiative. Ils
ont tout le travail.

ANNENKOV

Ils travaillent à vous pendre, quelquefois.

VOINOV, *avec désespoir.*

Quelquefois. Mais il me sera moins difficile de mourir
que de porter ma vie et celle d'un autre à bout de bras[57] et
de décider du moment où je précipiterai ces deux vies dans
les flammes. Non, Boria, la seule façon que j'aie de me
racheter,[58] c'est d'accepter ce que je suis.

Annenkov se tait.

Même les lâches peuvent servir la révolution. Il suffit de
trouver leur place.

ANNENKOV

Alors, nous sommes tous des lâches. Mais nous n'avons
pas toujours l'occasion de le vérifier. Tu feras ce que tu
voudras.

VOINOV

Je préfère partir tout de suite. Il me semble que je ne
pourrais pas les regarder en face. Mais tu leur parleras.

ANNENKOV

Je leur parlerai.

Il avance vers lui.

VOINOV

Dis à Yanek que ce n'est pas de sa faute. Et que je l'aime,
comme je vous aime tous.

Silence. Annenkov l'embrasse.

ANNENKOV

Adieu, frère. Tout finira. La Russie sera heureuse.

VOINOV, *s'enfuyant.*

Oh oui. Qu'elle soit heureuse! Qu'elle soit heureuse!

Annenkov va à la porte.

ANNENKOV

Venez.

Tous entrent avec Dora.

STEPAN

Qu'y a-t-il?

ANNENKOV

Voinov ne lancera pas la bombe. Il est épuisé. Ce ne serait pas sûr.

KALIAYEV

C'est de ma faute, n'est-ce pas, Boria?

ANNENKOV

Il te fait dire qu'il t'aime.

KALIAYEV

Le reverrons-nous?

ANNENKOV

Peut-être. En attendant, il nous quitte.

STEPAN

Pourquoi?

ANNENKOV

Il sera plus utile dans les Comités.

STEPAN

L'a-t-il demandé? Il a donc peur?

ANNENKOV

Non. J'ai décidé de tout.

STEPAN

A une heure de l'attentat,[59] tu nous prives d'un homme?

ANNENKOV

A une heure de l'attentat, il m'a fallu décider seul. Il est trop tard pour discuter. Je prendrai la place de Voinov.

STEPAN

Ceci me revient de droit.

KALIAYEV, *à Annenkov.*

Tu es le chef. Ton devoir est de rester ici.

ANNENKOV

Un chef a quelquefois le devoir d'être lâche. Mais à condition qu'il éprouve[60] sa fermeté, à l'occasion. Ma décision est prise. Stepan, tu me remplaceras pendant le temps qu'il faudra. Viens, tu dois connaître les instructions.

Ils sortent. Kaliayev va s'asseoir. Dora va vers lui et tend une main. Mais elle se ravise.

DORA

Ce n'est pas de ta faute.

KALIAYEV

Je lui ai fait du mal, beaucoup de mal. Sais-tu ce qu'il me disait l'autre jour?

DORA

Il répétait sans cesse qu'il était heureux.

KALIAYEV

Oui, mais il m'a dit qu'il n'y avait pas de bonheur pour lui, hors de notre communauté. « Il y a nous, disait-il, l'Organisation. Et puis, il n'y a rien. C'est une chevalerie. »[61] Quelle pitié, Dora!

DORA

Il reviendra.

KALIAYEV

Non. J'imagine ce que je ressentirais à sa place. Je serais désespéré.

DORA

Et maintenant, ne l'es-tu pas?

KALIAYEV, *avec tristesse.*

Maintenant? Je suis avec vous et je suis heureux comme il l'était.

DORA, *lentement.*

C'est un grand bonheur.

KALIAYEV

C'est un grand bonheur. Ne penses-tu pas comme moi?

DORA

Je pense comme toi. Alors pourquoi es-tu triste? Il y a deux jours ton visage resplendissait. Tu semblais marcher vers une grande fête. Aujourd'hui ...

KALIAYEV, *se levant, dans une grande agitation.*

Aujourd'hui, je sais ce que je ne savais pas. Tu avais

raison, ce n'est pas si simple. Je croyais que c'était facile
de tuer, que l'idée suffisait, et le courage. Mais je ne suis
pas si grand et je sais maintenant qu'il n'y a pas de bonheur
dans la haine. Tout ce mal, tout ce mal, en moi et chez les
autres. Le meurtre, la lâcheté, l'injustice ... Oh il faut, il
faut que je le tue ... Mais j'irai jusqu'au bout! Plus loin que
la haine!

DORA

Plus loin? Il n'y a rien.

KALIAYEV

Il y a l'amour.

DORA

L'amour? Non, ce n'est pas ce qu'il faut.

KALIAYEV

Oh Dora, comment dis-tu cela, toi dont je connais le
cœur ...

DORA

Il y a trop de sang, trop de dure violence. Ceux qui aiment
vraiment la justice n'ont pas droit à l'amour. Ils sont dressés
comme je suis, la tête levée, les yeux fixes. Que viendrait
faire l'amour dans ces cœurs fiers? L'amour courbe[62] doucement les têtes, Yanek. Nous, nous avons la nuque raide.[63]

KALIAYEV

Mais nous aimons notre peuple.

DORA

Nous l'aimons, c'est vrai. Nous l'aimons d'un vaste amour
sans appui, d'un amour malheureux. Nous vivons loin de
lui, enfermés dans nos chambres, perdus dans nos pensées.
Et le peuple, lui, nous aime-t-il? Sait-il que nous l'aimons?
Le peuple se tait. Quel silence, quel silence ...

KALIAYEV

Mais c'est cela l'amour, tout donner, tout sacrifier sans
espoir de retour.

DORA

Peut-être. C'est l'amour absolu, la joie pure et solitaire,
c'est celui qui me brûle en effet. A certaines heures, pourtant, je me demande si l'amour n'est pas autre chose, s'il
peut cesser d'être un monologue, et s'il n'y a pas une réponse,
quelquefois. J'imagine cela, vois-tu: le soleil brille, les têtes

se courbent doucement, le cœur quitte sa fierté, les bras s'ouvrent. Ah! Yanek, si l'on pouvait oublier, ne fût-ce qu'une heure, l'atroce misère de ce monde et se laisser aller enfin. Une seule petite heure d'égoïsme, peux-tu penser à cela?

KALIAYEV

Oui, Dora, cela s'appelle la tendresse.

DORA

Tu devines tout, mon chéri, cela s'appelle la tendresse. Mais la connais-tu vraiment? Est-ce que tu aimes la justice avec tendresse?

Kaliayev se tait.

Est-ce que tu aimes notre peuple avec cet abandon et cette douceur, ou, au contraire, avec la flamme de la vengeance et de la révolte? *(Kaliayev se tait toujours.)* Tu vois. *(Elle va vers lui, et d'un ton très faible)* Et moi, m'aimes-tu avec tendresse?

Kaliayev la regarde.

KALIAYEV, *après un silence.*

Personne ne t'aimera jamais comme je t'aime.

DORA

Je sais. Mais ne vaut-il pas mieux aimer comme tout le monde?

KALIAYEV

Je ne suis pas n'importe qui. Je t'aime comme je suis.

DORA

Tu m'aimes plus que la justice, plus que l'Organisation?

KALIAYEV

Je ne vous sépare pas, toi, l'Organisation et la justice.

DORA

Oui, mais réponds-moi, je t'en supplie, réponds-moi. M'aimes-tu dans la solitude, avec tendresse, avec égoïsme? M'aimerais-tu si j'étais injuste?

KALIAYEV

Si tu étais injuste, et que je puisse t'aimer, ce n'est pas toi que j'aimerais.

DORA

Tu ne réponds pas. Dis-moi seulement, m'aimerais-tu si je n'étais pas dans l'Organisation?

KALIAYEV

Où serais-tu donc?

DORA

Je me souviens du temps où j'étudiais. Je riais. J'étais belle alors. Je passais des heures à me promener et à rêver. M'aimerais-tu légère et insouciante?

KALIAYEV, *il hésite et très bas.*

Je meurs d'envie de te dire oui.

DORA, *dans un cri.*

Alors, dis oui, mon chéri, si tu le penses et si cela est vrai. Oui, en face de la justice, devant la misère et le peuple enchaîné. Oui, oui, je t'en supplie, malgré l'agonie des enfants, malgré ceux qu'on pend et ceux qu'on fouette à mort ...

KALIAYEV

Tais-toi, Dora.

DORA

Non, il faut bien une fois au moins laisser parler son cœur. J'attends que tu m'appelles, moi, Dora, que tu m'appelles par-dessus ce monde empoisonné d'injustice ...

KALIAYEV, *brutalement.*

Tais-toi. Mon cœur ne me parle que de toi. Mais tout à l'heure, je ne devrai pas trembler.

DORA, *égarée.*

Tout à l'heure? Oui, j'oubliais ... (*Elle rit comme si elle pleurait.*) Non, c'est très bien, mon chéri. Ne sois pas fâché, je n'étais pas raisonnable. C'est la fatigue. Moi non plus, je n'aurais pas pu le dire. Je t'aime du même amour un peu fixe, dans la justice et les prisons. L'été, Yanek, tu te souviens? Mais non, c'est l'éternel hiver. Nous ne sommes pas de ce monde, nous sommes des justes. Il y a une chaleur qui n'est pas pour nous. (*Se détournant.*) Ah! pitié pour les justes!

KALIAYEV, *la regardant avec désespoir.*

Oui, c'est là notre part, l'amour est impossible. Mais je tuerai le grand-duc, et il y aura alors une paix, pour toi comme pour moi.

DORA

La paix! Quand la trouverons-nous?

KALIAYEV, *avec violence.*

Le lendemain.

> *Entrent Annenkov et Stepan. Dora et Kaliayev s'éloi-*
> *gnent l'un de l'autre.*

ANNENKOV

Yanek !

KALIAYEV

Tout de suite. *(Il respire profondément.)* Enfin, enfin ...

> STEPAN, *venant vers lui.*

Adieu, frère, je suis avec toi.

KALIAYEV

Adieu, Stepan. *(Il se tourne vers Dora.)* Adieu, Dora.

> *Dora va vers lui. Ils sont tout près l'un de l'autre, mais*
> *ne se toucheront pas.*

DORA

Non, pas adieu. Au revoir. Au revoir, mon chéri. Nous
nous retrouverons.

> *Il la regarde. Silence.*

KALIAYEV

Au revoir. Je ... La Russie sera belle.

> DORA, *dans les larmes.*

La Russie sera belle.

> *Kaliayev se signe devant l'icône.*
> *Ils sortent avec Annenkov.*
> *Stepan va à la fenêtre. Dora ne bouge pas, regardant*
> *toujours la porte.*

STEPAN

Comme il marche droit. J'avais tort, tu vois, de ne pas
me fier à Yanek. Je n'aimais pas son enthousiasme. Il s'est
signé, tu as vu ? Est-il croyant ?

DORA

Il ne pratique pas.

STEPAN

Il a l'âme religieuse, pourtant. C'est cela qui nous séparait.
Je suis plus âpre que lui, je le sais bien. Pour nous qui ne
croyons pas à Dieu, il faut toute la justice ou c'est le désespoir.

DORA

Pour lui, la justice elle-même est désespérante.

STEPAN

Oui, une âme faible. Mais la main est forte. Il vaut mieux que son âme. Il le tuera, c'est sûr. Cela est bien, très bien même. Détruire, c'est ce qu'il faut. Mais tu ne dis rien? *(Il l'examine.)* Tu l'aimes?

DORA

Il faut du temps pour aimer. Nous avons à peine assez de temps pour la justice.

STEPAN

Tu as raison. Il y a trop à faire; il faut ruiner ce monde de fond en comble ...[64] Ensuite ... *(A la fenêtre.)* Je ne les vois plus, ils sont arrivés.

DORA

Ensuite ...

STEPAN

Nous nous aimerons.

DORA

Si nous sommes là.

STEPAN

D'autres s'aimeront. Cela revient au même.

DORA

Stepan, dis « la haine »?

STEPAN

Comment?

DORA

Ces deux mots, « la haine », prononce-les.

STEPAN

La haine.

DORA

C'est bien. Yanek les prononçait très mal.

STEPAN, *après un silence, et marchant vers elle.*

Je comprends: tu me méprises. Es-tu sûre d'avoir raison, pourtant? *(Un silence, et avec une violence croissante.)* Vous êtes tous là à marchander ce que vous faites,[65] au nom de l'ignoble amour. Mais, moi, je n'aime rien et je hais, oui, je hais mes semblables![66] Qu'ai-je à faire avec leur amour? Je l'ai connu au bagne, voici trois ans. Et depuis trois ans, je le porte sur moi. Tu voudrais que je m'attendrisse et que je traîne la bombe comme une croix? Non! Non! Je suis allé trop loin, je sais trop de choses ... Regarde ...

> *Il déchire sa chemise. Dora a un geste vers lui. Elle recule devant les marques du fouet.*

Ce sont les marques! Les marques de leur amour! Me méprises-tu maintenant?

> *Elle va vers lui et l'embrasse brusquement.*

DORA

Qui méprisait la douleur? Je t'aime aussi.

STEPAN, *il la regarde et sourdement.*[67]

Pardonne-moi, Dora. *(Un temps. Il se détourne.)* Peut-être est-ce la fatigue. Des années de lutte, l'angoisse, les mouchards, le bagne ... et pour finir, ceci. *(Il montre les marques.)* Où trouverais-je la force d'aimer? Il me reste au moins celle de haïr. Cela vaut mieux que de ne rien sentir.

DORA

Oui, cela vaut mieux.

> *Il la regarde. Sept heures sonnent.*

STEPAN, *se retournant brusquement.*

Le grand-duc va passer.

> *Dora va vers la fenêtre et se colle aux vitres. Long silence. Et puis, dans le lointain, la calèche. Elle se rapproche, elle passe.*

STEPAN

S'il est seul ...

> *La calèche s'éloigne. Une terrible explosion. Soubre-saut[68] de Dora qui cache sa tête dans ses mains. Long silence.*

STEPAN

Boria n'a pas lancé sa bombe! Yanek a réussi. Réussi! O peuple! O joie!

DORA, *s'abattant en larmes sur lui.*

C'est nous qui l'avons tué! C'est nous qui l'avons tué! C'est moi.

STEPAN, *criant.*

Qui avons-nous tué? Yanek?

DORA

Le grand-duc.

> *Rideau.*

Acte 4

Une cellule dans la Tour Pougatchev à la prison Boutirki.
Le matin.

> *Quand le rideau se lève, Kaliayev est dans sa cellule*
> *et regarde la porte. Un gardien et un prisonnier, por-*
> *tant un seau,*[69] *entrent.*

LE GARDIEN

Nettoie. Et fais vite.

> *Il va se placer vers la fenêtre. Foka commence à*
> *nettoyer sans regarder Kaliayev. Silence.*

KALIAYEV

Comment t'appelles-tu, frère?

FOKA

Foka.

KALIAYEV

Tu es condamné?

FOKA

Il paraît.

KALIAYEV

Qu'as-tu fait?

FOKA

J'ai tué.

KALIAYEV

Tu avais faim.

LE GARDIEN

Moins haut.

KALIAYEV

Comment?

LE GARDIEN

Moins haut. Je vous laisse parler malgré la consigne.[70]
Alors, parle moins haut. Imite le vieux.

KALIAYEV

Tu avais faim?

FOKA

Non, j'avais soif.

KALIAYEV

Alors?

FOKA

Alors, il y avait une hache. J'ai tout démoli. Il paraît que j'en ai tué trois.

Kaliayev le regarde.

FOKA

Eh bien, barine,[71] tu ne m'appelles plus frère? Tu es refroidi?

KALIAYEV

Non. J'ai tué moi aussi.

FOKA

Combien?

KALIAYEV

Je te le dirai, frère, si tu veux. Mais réponds-moi, tu regrettes ce qui s'est passé, n'est-ce pas?

FOKA

Bien sûr, vingt ans, c'est cher. Ça vous laisse des regrets.

KALIAYEV

Vingt ans. J'entre ici à vingt-trois ans et j'en sors les cheveux gris.

FOKA

Oh! Ça ira peut-être mieux pour toi. Un juge, ça a des hauts et des bas.[72] Ça dépend s'il est marié, et avec qui. Et puis, tu es barine. Ce n'est pas le même tarif que pour les pauvres diables. Tu t'en tireras.[73]

KALIAYEV

Je ne crois pas. Et je ne le veux pas. Je ne pourrais pas supporter la honte pendant vingt ans.

FOKA

La honte? Quelle honte? Enfin, ce sont des idées de barine. Combien en as-tu tué?

KALIAYEV

Un seul.

FOKA

Que disais-tu? Ce n'est rien.

KALIAYEV

J'ai tué le grand-duc Serge.

FOKA

Le grand-duc? Eh! comme tu y vas. Voyez-vous ces barines! C'est grave, dis-moi?

KALIAYEV

C'est grave. Mais il le fallait.

FOKA

Pourquoi? Tu vivais à la cour? Une histoire de femme, non? Bien fait comme tu l'es ...

KALIAYEV

Je suis socialiste.

LE GARDIEN

Moins haut.

KALIAYEV, *plus haut.*

Je suis socialiste révolutionnaire.

FOKA

En voilà une histoire. Et qu'avais-tu besoin d'être comme tu dis. Tu n'avais qu'à rester tranquille et tout allait pour le mieux. La terre est faite pour les barines.

KALIAYEV

Non, elle est faite pour toi. Il y a trop de misère et trop de crimes. Quand il y aura moins de misère, il y aura moins de crimes. Si la terre était libre, tu ne serais pas là.

FOKA

Oui et non. Enfin, libre ou pas, ce n'est jamais bon de boire un coup de trop.

KALIAYEV

Ce n'est jamais bon. Seulement on boit parce qu'on est humilié. Un temps viendra où il ne sera plus utile de boire, où personne n'aura plus honte, ni barine, ni pauvre diable. Nous serons tous frères et la justice rendra nos cœurs transparents. Sais-tu ce dont je parle?

FOKA

Oui, c'est le royaume de Dieu.

LE GARDIEN

Moins haut.

KALIAYEV

Il ne faut pas dire cela, frère. Dieu ne peut rien. La justice est notre affaire! *(Un silence.)* Tu ne comprends pas? Connais-tu la légende de Saint-Dmitri?

FOKA

Non.

KALIAYEV

Il avait rendez-vous dans la steppe avec Dieu lui-même, et il se hâtait lorsqu'il rencontra un paysan dont la voiture était embourbée.[74] Alors saint Dmitri l'aida. La boue était épaisse, la fondrière[75] profonde. Il fallut batailler[76] pendant une heure. Et quand ce fut fini, saint Dmitri courut au rendez-vous. Mais Dieu n'était plus là.

FOKA

Et alors?

KALIAYEV

Et alors il y a ceux qui arriveront toujours en retard au rendez-vous parce qu'il y a trop de charrettes embourbées et trop de frères à secourir.

Foka recule.

KALIAYEV

Qu'y a-t-il?

LE GARDIEN

Moins haut. Et toi, vieux, dépêche-toi.

FOKA

Je me méfie. Tout cela n'est pas normal. On n'a pas idée de se faire mettre en prison[77] pour des histoires de saint et de charrette. Et puis, il y a autre chose ...

Le gardien rit.

KALIAYEV, *le regardant.*

Quoi donc?

FOKA

Que fait-on à ceux qui tuent les grands-ducs?

KALIAYEV

On les pend.

FOKA

Ah!

Et il s'en va, pendant que le gardien rit plus fort.

KALIAYEV

Reste. Que t'ai-je fait?

FOKA

Tu ne m'as rien fait. Tout barine que tu es, pourtant, je

ne veux pas te tromper. On bavarde, on passe le temps,
comme ça, mais si tu dois être pendu, ce n'est pas bien.

KALIAYEV

Pourquoi?

LE GARDIEN, *riant.*

Allez, vieux, parle ...

FOKA

Parce que tu ne peux pas me parler comme un frère.
C'est moi qui pends les condamnés.

KALIAYEV

N'es-tu pas forçat,[78] toi aussi?

FOKA

Justement. Ils m'ont proposé de faire ce travail et, pour
chaque pendu, ils m'enlèvent une année de prison. C'est
une bonne affaire.

KALIAYEV

Pour te pardonner tes crimes, ils t'en font commettre
d'autres?

FOKA

Oh, ce ne sont pas des crimes, puisque c'est commandé.
Et puis, ça leur est bien égal. Si tu veux mon avis, ils ne
sont pas chrétiens.

KALIAYEV

Et combien de fois, déjà?

FOKA

Deux fois.

*Kaliayev recule. Les autres regagnent la porte, le
gardien poussant Foka.*

KALIAYEV

Tu es donc un bourreau?

FOKA, *sur la porte.*

Eh bien, barine, et toi?

*Il sort. On entend des pas, des commandements. Entre
Skouratov, très élégant, avec le gardien.*

SKOURATOV

Laisse-nous. Bonjour. Vous ne me connaissez pas? Moi,
je vous connais. *(Il rit.)* Déjà célèbre, hein? *(Il le regarde.)*
Puis-je me présenter? *(Kaliayev ne dit rien.)* Vous ne dites

rien? Je comprends. Le secret, hein? C'est dur, huit jours au secret.[79] Aujourd'hui, nous avons supprimé le secret et vous aurez des visites. Je suis là pour ça d'ailleurs. Je vous ai déjà envoyé Foka. Exceptionnel, n'est-ce pas? J'ai pensé qu'il vous intéresserait. Etes-vous content? C'est bon de voir des visages après huit jours, non?

KALIAYEV

Tout dépend du visage.

SKOURATOV

Bonne voix, bien placée. Vous savez ce que vous voulez. *(Un temps.)* Si j'ai bien compris, mon visage vous déplaît?

KALIAYEV

Oui.

SKOURATOV

Vous m'en voyez déçu. Mais c'est un malentendu. L'éclairage est mauvais d'abord. Dans un sous-sol, personne n'est sympathique. Du reste, vous ne me connaissez pas. Quelquefois, un visage rebute.[80] Et puis, quand on connaît le cœur …

KALIAYEV

Assez. Qui êtes-vous?

SKOURATOV

Skouratov, directeur du département de police.

KALIAYEV

Un valet.

SKOURATOV

Pour vous servir. Mais à votre place, je montrerais moins de fierté. Vous y viendrez peut-être. On commence par vouloir la justice et on finit par organiser une police. Du reste, la vérité ne m'effraie pas. Je vais être franc avec vous. Vous m'intéressez et je vous offre les moyens d'obtenir votre grâce.[81]

KALIAYEV

Quelle grâce?

SKOURATOV

Comment quelle grâce? Je vous offre la vie sauve.[82]

KALIAYEV

Qui vous l'a demandée?

SKOURATOV

On ne demande pas la vie, mon cher. On la reçoit. N'avez-vous jamais fait grâce à personne? *(Un temps.)* Cherchez bien.

KALIAYEV

Je refuse votre grâce, une fois pour toutes.

SKOURATOV

Ecoutez au moins. Je ne suis pas votre ennemi, malgré les apparences. J'admets que vous ayez raison dans ce que vous pensez. Sauf pour l'assassinat ...

KALIAYEV

Je vous interdis d'employer ce mot.

SKOURATOV, *le regardant.*

Ah! Les nerfs sont fragiles, hein? *(Un temps.)* Sincèrement, je voudrais vous aider.

KALIAYEV

M'aider? Je suis prêt à payer ce qu'il faut. Mais je ne supporterai pas cette familiarité de vous à moi. Laissez-moi.

SKOURATOV

L'accusation qui pèse sur vous ...

KALIAYEV

Je rectifie.

SKOURATOV

Plaît-il?

KALIAYEV

Je rectifie. Je suis un prisonnier de guerre, non un accusé.

SKOURATOV

Si vous voulez. Cependant, il y a eu des dégâts,[83] n'est-ce pas? Laissons de côté le grand-duc et la politique. Du moins, il y a eu mort d'homme. Et quelle mort!

KALIAYEV

J'ai lancé la bombe sur votre tyrannie, non sur un homme.

SKOURATOV

Sans doute. Mais c'est l'homme qui l'a reçue. Et ça ne l'a pas arrangé.[84] Voyez-vous, mon cher, quand on a retrouvé le corps, la tête manquait. Disparue, la tête! Quant au reste, on a tout juste reconnu un bras et une partie de la jambe.

KALIAYEV

J'ai exécuté un verdict.

SKOURATOV

Peut-être, peut-être. On ne vous reproche pas le verdict.
Qu'est-ce qu'un verdict? C'est un mot sur lequel on peut
discuter pendant des nuits. On vous reproche ... non, vous
n'aimeriez pas ce mot ... disons, un travail d'amateur, un
peu désordonné, dont les résultats, eux, sont indiscutables.
Tout le monde a pu les voir. Demandez à la grande duchesse.
Il y avait du sang, vous comprenez, beaucoup de sang.

KALIAYEV

Taisez-vous.

SKOURATOV

Bon. Je voulais dire simplement que si vous vous obstinez
à parler du verdict, à dire que c'est le parti et lui seul qui
a jugé et exécuté, que le grand-duc a été tué non par une
bombe, mais par une idée, alors vous n'avez pas besoin de
grâce. Supposez, pourtant, que nous en revenions à l'évidence, supposez que ce soit vous qui ayez fait sauter la
tête du grand-duc, tout change, n'est-ce pas? Vous aurez
besoin d'être gracié alors. Je veux vous y aider. Par pure
sympathie, croyez-le. *(Il sourit.)* Que voulez-vous, je ne
m'intéresse pas aux idées, moi, je m'intéresse aux personnes.

KALIAYEV, *éclatant.*

Ma personne est au-dessus de vous et de vos maîtres.
Vous pouvez me tuer, non me juger. Je sais où vous voulez
en venir. Vous cherchez un point faible et vous attendez
de moi une attitude honteuse, des larmes et du repentir.
Vous n'obtiendrez rien. Ce que je suis ne vous concerne
pas. Ce qui vous concerne, c'est notre haine, la mienne et
celle de mes frères. Elle est à votre service.

SKOURATOV

La haine? Encore une idée. Ce qui n'est pas une idée,
c'est le meurtre. Et ses conséquences, naturellement. Je
veux dire le repentir et le châtiment. Là, nous sommes au
centre. C'est pour cela d'ailleurs que je me suis fait policier.
Pour être au centre des choses. Mais vous n'aimez pas les
confidences. *(Un temps. Il avance lentement vers lui.)* Tout
ce que je voulais dire, c'est que vous ne devriez pas faire
semblant d'oublier la tête du grand-duc. Si vous en teniez
compte, l'idée ne vous servirait plus de rien. Vous auriez

fait. Et à partir du moment où vous aurez honte, vous souhaiterez de vivre pour réparer. Le plus important est que vous décidiez de vivre.

KALIAYEV

Et si je le décidais?

SKOURATOV

La grâce pour vous et vos camarades.

KALIAYEV

Les avez-vous arrêtés?

SKOURATOV

Non. Justement. Mais si vous décidez de vivre, nous les arrêterons.

KALIAYEV

Ai-je bien compris?

SKOURATOV

Sûrement. Ne vous fâchez pas encore. Réfléchissez. Du point de vue de l'idée, vous ne pouvez pas les livrer. Du point de vue de l'évidence, au contraire, c'est un service à leur rendre. Vous leur éviterez de nouveaux ennuis et, du même coup, vous les arracherez à la potence. Par-dessus tout, vous obtenez la paix du cœur. A bien des points de vue, c'est un affaire en or.[85]

Kaliayev se tait.

SKOURATOV

Alors?

KALIAYEV

Mes frères vous répondront, avant peu.

SKOURATOV

Encore un crime! Décidément, c'est une vocation. Allons, ma mission est terminée. Mon cœur est triste. Mais je vois bien que vous tenez à vos idées. Je ne puis vous en séparer.

KALIAYEV

Vous ne pouvez me séparer de mes frères.

SKOURATOV

Au revoir. (*Il fait mine de sortir, et, se retournant.*) Pourquoi, en ce cas, avez-vous épargné la grande-duchesse et ses neveux?

KALIAYEV

Qui vous l'a dit?

SKOURATOV

Votre informateur nous informait aussi. En partie, du moins ... Mais pourquoi les avez-vous épargnés?

KALIAYEV

Ceci ne vous concerne pas.

SKOURATOV, *riant.*

Vous croyez? Je vais vous dire pourquoi. Une idée peut tuer un grand-duc, mais elle arrive difficilement à tuer des enfants. Voilà ce que vous avez découvert. Alors, une question se pose: si l'idée n'arrive pas à tuer les enfants, mérite-t-elle qu'on tue un grand-duc?

Kaliayev a un geste.

SKOURATOV

Oh! Ne me répondez pas, ne me répondez pas surtout! Vous répondrez à la grande-duchesse.

KALIAYEV

La grande-duchesse?

SKOURATOV

Oui, elle veut vous voir. Et j'étais venu surtout pour m'assurer que cette conversation était possible. Elle l'est. Elle risque même de vous faire changer d'avis. La grande-duchesse est chrétienne. L'âme, voyez-vous, c'est sa spécialité. *(Il rit.)*

KALIAYEV

Je ne veux pas la voir.

SKOURATOV

Je regrette, elle y tient. Et après tout, vous lui devez quelques égards.[86] On dit aussi que depuis la mort de son mari, elle n'a pas toute sa raison. Nous n'avons pas voulu la contrarier. *(A la porte.)* Si vous changez d'avis, n'oubliez pas ma proposition. Je reviendrai. *(Un temps. Il écoute.)* La voilà. Après la police, la religion! On vous gâte décidément. Mais tout se tient. Imaginez Dieu sans les prisons. Quelle solitude!

Il sort. On entend des voix et des commandements. Entre la grande-duchesse qui reste immobile et silencieuse.

La porte est ouverte.

KALIAYEV

Que voulez-vous?

LA GRANDE-DUCHESSE, *découvrant son visage.*

Regarde.

Kaliayev se tait.

LA GRANDE DUCHESSE

Beaucoup de choses meurent avec un homme.

KALIAYEV

Je le savais.

LA GRANDE-DUCHESSE, *avec naturel, mais d'une petite voix usée.*

Les meurtriers ne savent pas cela. S'ils le savaient, comment feraient-ils mourir?

Silence.

KALIAYEV

Je vous ai vue. Je désire maintenant être seul.

LA GRANDE DUCHESSE

Non. Il me reste à te regarder aussi.

Il recule.

LA GRANDE-DUCHESSE, *s'assied, comme épuisée.*

Je ne peux plus rester seule. Auparavant, si je souffrais, il pouvait voir ma souffrance. Souffrir était bon alors. Maintenant ... Non, je ne pouvais plus être seule, me taire ... Mais à qui parler? Les autres ne savent pas. Ils font mine d'être tristes. Ils le sont, une heure ou deux. Puis ils vont manger — et dormir. Dormir surtout ... J'ai pensé que tu devais me ressembler. Tu ne dors pas, j'en suis sûre. Et à qui parler du crime, sinon au meurtrier?

KALIAYEV

Quel crime? Je ne me souviens que d'un acte de justice.

LA GRANDE DUCHESSE

La même voix! Tu as eu la même voix que lui. Tous les hommes prennent le même ton pour parler de la justice. Il disait: « Cela est juste! » et l'on devait se taire. Il se trompait peut-être, tu te trompes ...

KALIAYEV

Il incarnait la suprême injustice, celle qui fait gémir le peuple russe depuis des siècles. Pour cela, il recevait seulement des privilèges. Si même je devais me tromper, la prison et la mort sont mes salaires.

LA GRANDE DUCHESSE

Oui, tu souffres. Mais lui, tu l'as tué.

KALIAYEV

Il est mort surpris. Une telle mort, ce n'est rien.

LA GRANDE DUCHESSE

Rien? *(Plus bas.)* C'est vrai. On t'a emmené tout de suite. Il paraît que tu faisais des discours au milieu des policiers. Je comprends. Cela devait t'aider. Moi, je suis arrivée quelques secondes après. J'ai vu. J'ai mis sur une civière tout ce que je pouvais traîner. Que de sang! *(Un temps.)* J'avais une robe blanche ...

KALIAYEV

Taisez-vous.

LA GRANDE DUCHESSE

Pourquoi? Je dis la vérité. Sais-tu ce qu'il faisait deux heures avant de mourir? Il dormait. Dans un fauteuil, les pieds sur une chaise ... comme toujours. Il dormait, et toi, tu l'attendais, dans le soir cruel ... *(Elle pleure.)* Aide-moi maintenant.

Il recule, raidi.

LA GRANDE DUCHESSE

Tu es jeune. Tu ne peux pas être mauvais.

KALIAYEV

Je n'ai pas eu le temps d'être jeune.

LA GRANDE DUCHESSE

Pourquoi te raidir ainsi? N'as-tu jamais pitié de toi-même?

KALIAYEV

Non.

LA GRANDE DUCHESSE

Tu as tort. Cela soulage. Moi, je n'ai plus de pitié que pour moi-même. *(Un temps.)* J'ai mal. Il fallait me tuer avec lui au lieu de m'épargner.

KALIAYEV

Ce n'est pas vous que j'ai épargnée, mais les enfants qui étaient avec vous.

LA GRANDE DUCHESSE

Je sais ... Je ne les aimais pas beaucoup. *(Un temps.)* Ce sont les neveux du grand-duc. N'étaient-ils pas coupables comme leur oncle?

KALIAYEV

Non.

LA GRANDE DUCHESSE

Les connais-tu? Ma nièce a un mauvais cœur. Elle refuse de porter elle-même ses aumônes aux pauvres. Elle a peur de les toucher. N'est-elle pas injuste? Elle est injuste. Lui du moins aimait les paysans. Il buvait avec eux. Et tu l'as tué. Certainement, tu es injuste aussi. La terre est déserte.

KALIAYEV

Ceci est inutile. Vous essayez de détendre ma force et de me désespérer. Vous n'y réussirez pas. Laissez-moi.

LA GRANDE DUCHESSE

Ne veux-tu pas prier avec moi, te repentir ... Nous ne serons plus seuls.

KALIAYEV

Laissez-moi me préparer à mourir. Si je ne mourais pas, c'est alors que je serais un meurtrier.

LA GRANDE-DUCHESSE, *elle se dresse.*

Mourir? Tu veux mourir? Non. *(Elle va vers Kaliayev, dans une grande agitation.)* Tu dois vivre, et consentir à être un meurtrier. Ne l'as-tu pas tué? Dieu te justifiera.

KALIAYEV

Quel Dieu, le mien ou le vôtre?

LA GRANDE DUCHESSE

Celui de la Sainte Eglise.

KALIAYEV

Elle n'a rien à faire ici.

LA GRANDE DUCHESSE

Elle sert un maître qui, lui aussi, a connu la prison.

KALIAYEV

Les temps ont changé. Et la Sainte Eglise a choisi dans l'héritage de son maître.

LA GRANDE DUCHESSE

Choisi, que veux-tu dire?

KALIAYEV

Elle a gardé la grâce pour elle et nous a laissé le soin[88] d'exercer la charité.

LA GRANDE DUCHESSE

Qui, nous?

KALIAYEV, *criant*.

Tous ceux que vous pendez.

Silence.

LA GRANDE-DUCHESSE, *doucement*.

Je ne suis pas votre ennemie.

KALIAYEV, *avec désespoir*.

Vous l'êtes, comme tous ceux de votre race et de votre clan. Il y a quelque chose de plus abject encore que d'être un criminel, c'est de forcer au crime celui qui n'est pas fait pour lui. Regardez-moi. Je vous jure que je n'étais pas fait pour tuer.

LA GRANDE DUCHESSE

Ne me parlez pas comme à votre ennemie. Regardez. *(Elle va fermer la porte.)* Je me remets à vous.[89] *(Elle pleure.)* Le sang nous sépare. Mais vous pouvez me rejoindre en Dieu, à l'endroit même du malheur. Priez du moins avec moi.

KALIAYEV

Je refuse. *(Il va vers elle.)* Je ne sens pour vous que de la compassion et vous venez de toucher mon cœur. Maintenant, vous me comprendrez parce que je ne vous cacherai rien. Je ne compte plus sur le rendez-vous avec Dieu. Mais, en mourant, je serai exact au rendez-vous que j'ai pris avec ceux que j'aime, mes frères qui pensent à moi en ce moment. Prier serait les trahir.

LA GRANDE DUCHESSE

Que voulez-vous dire?

KALIAYEV, *avec exaltation*.

Rien, sinon que je vais être heureux. J'ai une longue lutte à soutenir et je la soutiendrai. Mais quand le verdict sera prononcé, et l'exécution prête, alors, au pied de l'échafaud, je me détournerai de vous et de ce monde hideux et je me laisserai aller à l'amour qui m'emplit. Me comprenez-vous?

LA GRANDE DUCHESSE

Il n'y a pas d'amour loin de Dieu.

KALIAYEV

Si. L'amour pour la créature.

LA GRANDE DUCHESSE

La créature est abjecte. Que faire d'autre que la détruire ou lui pardonner?

KALIAYEV

Mourir avec elle.

LA GRANDE DUCHESSE

On meurt seul. Il est mort seul.

KALIAYEV, *avec désespoir.*

Mourir avec elle! Ceux qui s'aiment aujourd'hui doivent mourir ensemble s'ils veulent être réunis. L'injustice sépare, la honte, la douleur, le mal qu'on fait aux autres, le crime séparent. Vivre est une torture puisque vivre sépare ...

LA GRANDE DUCHESSE

Dieu réunit.

KALIAYEV

Pas sur cette terre. Et mes rendez-vous sont sur cette terre.

LA GRANDE DUCHESSE

C'est le rendez-vous des chiens, le nez au sol, toujours flairant, toujours déçus.

KALIAYEV, *détourné vers la fenêtre.*

Je le saurai bientôt. (*Un temps.*) Mais ne peut-on déjà imaginer que deux êtres renonçant à toute joie, s'aiment dans la douleur sans pouvoir s'assigner d'autre rendez-vous que celui de la douleur? (*Il la regarde.*) Ne peut-on imaginer que la même corde unisse alors ces deux êtres?

LA GRANDE DUCHESSE

Quel est ce terrible amour?

KALIAYEV

Vous et les vôtres ne nous en avez jamais permis d'autre.

LA GRANDE DUCHESSE

J'aimais aussi celui que vous avez tué.

KALIAYEV

Je l'ai compris. C'est pourquoi je vous pardonne le mal que vous et les vôtres m'avez fait. (*Un temps.*) Maintenant, laissez-moi.

Long silence.

LA GRANDE-DUCHESSE, *se redressant.*

Je vais vous laisser. Mais je suis venue ici pour vous ramener à Dieu, je le sais maintenant. Vous voulez vous juger et vous sauver seul. Vous ne le pouvez pas. Dieu le pourra, si vous vivez. Je demanderai votre grâce.

KALIAYEV

Je vous en supplie, ne le faites pas. Laissez-moi mourir
ou je vous haïrai mortellement.

LA GRANDE-DUCHESSE, *sur la porte.*

Je demanderai votre grâce, aux hommes et à Dieu.

KALIAYEV

Non, non, je vous le défends.

*Il court à la porte pour y trouver soudain Skouratov.
Kaliayev recule, ferme les yeux. Silence. Il regarde
Skouratov à nouveau.*

KALIAYEV

J'avais besoin de vous.

SKOURATOV

Vous m'en voyez ravi. Pourquoi?

KALIAYEV

J'avais besoin de mépriser à nouveau.

SKOURATOV

Dommage. Je venais chercher ma réponse.

KALIAYEV

Vous l'avez maintenant.

SKOURATOV, *changeant de ton.*

Non, je ne l'ai pas encore. Ecoutez bien. J'ai facilité cette
entrevue avec la grande-duchesse pour pouvoir demain en
publier la nouvelle dans les journaux. Le récit en sera exact,
sauf sur un point. Il consignera l'aveu de votre repentir.[90]
Vos camarades penseront que vous les avez trahis.

KALIAYEV, *tranquillement.*

Ils ne le croiront pas.

SKOURATOV

Je n'arrêterai cette publication que si vous passez aux
aveux.[91] Vous avez la nuit pour vous décider. *(Il remonte
vers la porte.)*

KALIAYEV, *plus fort.*

Ils ne le croiront pas.

SKOURATOV, *se retournant.*

Pourquoi? N'ont-ils jamais péché?

KALIAYEV

Vous ne connaissez pas leur amour.

SKOURATOV

Non. Mais je sais qu'on ne peut pas croire à la fraternité toute une nuit, sans une seule minute de défaillance. J'attendrai la défaillance. *(Il ferme la porte dans son dos.)* Ne vous pressez pas. Je suis patient.

Ils restent face à face.

Rideau.

Acte 5

Un autre appartement, mais de même style. Une semaine après. La nuit.

Silence. Dora se promène de long en large.

ANNENKOV

Repose-toi, Dora.

DORA

J'ai froid.

ANNENKOV

Viens t'étendre ici. Couvre-toi.

DORA, *marchant toujours.*

La nuit est longue. Comme j'ai froid, Boria.

On frappe. Un coup, puis deux.

Annenkov va ouvrir. Entrent Stepan et Voinov qui va vers Dora et l'embrasse. Elle le tient serré contre elle.

DORA

Alexis!

STEPAN

Orlov dit que ce pourrait être pour cette nuit. Tous les sous-officiers qui ne sont pas de service[92] sont convoqués. C'est ainsi qu'il sera présent.

ANNENKOV

Où le rencontres-tu?

STEPAN

Il nous attendra, Voinov et moi, au restaurant de la rue Sophiskaia.

DORA, *qui s'est assise, épuisée.*

C'est pour cette nuit, Boria.

ANNENKOV

Rien n'est perdu, la décision dépend du tsar.

STEPAN

La décision dépendra du tsar si Yanek a demandé sa grâce.

DORA

Il ne l'a pas demandée.

STEPAN

Pourquoi aurait-il vu la grande-duchesse si ce n'est pour sa grâce? Elle a fait dire partout qu'il s'était repenti. Comment savoir la vérité?

DORA

Nous savons ce qu'il a dit devant le Tribunal et ce qu'il nous a écrit. Yanek a-t-il dit qu'il regrettait de ne pouvoir disposer que d'une seule vie pour la jeter comme un défi à l'autocratie? L'homme qui a dit cela peut-il mendier sa grâce, peut-il se repentir? Non, il voulait, il veut mourir. Ce qu'il a fait ne se renie pas.[93]

STEPAN

Il a eu tort de voir la grande-duchesse.

DORA

Il en est le seul juge.

STEPAN

Selon notre règle, il ne devait pas la voir.

DORA

Notre règle est de tuer, rien de plus. Maintenant, il est libre, il est libre enfin.

STEPAN

Pas encore.

DORA

Il est libre. Il a le droit de faire ce qu'il veut, près de mourir. Car il va mourir, soyez contents!

ANNENKOV

Dora!

DORA

Mais oui. S'il était gracié, quel triomphe! Ce serait la preuve, n'est-ce pas, que la grande-duchesse a dit vrai, qu'il s'est repenti et qu'il a trahi. S'il meurt, au contraire, vous le croirez et vous pourrez l'aimer encore. *(Elle les regarde.)* Votre amour coûte cher.

VOINOV, *allant vers elle.*

Non, Dora. Nous n'avons jamais douté de lui.

DORA, *marchant de long en large.*

Oui ... Peut-être ... Pardonnez-moi. Mais qu'importe, après tout! Nous allons savoir, cette nuit ... Ah! pauvre Alexis, qu'es-tu venu faire ici?

VOINOV

Le remplacer. Je pleurais, j'étais fier en lisant son discours au procès. Quand j'ai lu: « La mort sera ma suprême protestation contre un monde de larmes et de sang ... » je me suis mis à trembler.

DORA

Un monde de larmes et de sang ... il a dit cela, c'est vrai.

VOINOV

Il l'a dit ... Ah, Dora, quel courage! Et, à la fin, son grand cri: « Si je me suis trouvé à la hauteur de la protestation humaine contre la violence, que la mort couronne mon œuvre par la pureté de l'idée. » J'ai décidé alors de venir.

DORA, *se cachant la tête dans les mains.*

Il voulait la pureté, en effet. Mais quel affreux couronnement!

VOINOV

Ne pleure pas, Dora. Il a demandé que personne ne pleure sa mort. Oh, je le comprends si bien maintenant. Je ne peux pas douter de lui. J'ai souffert parce que j'ai été lâche. Et puis, j'ai lancé la bombe à Tiflis.[94] Maintenant, je ne suis pas différent de Yanek. Quand j'ai appris sa condamnation, je n'ai eu qu'une idée: prendre sa place puisque je n'avais pu être à ses côtés.

DORA

Qui peut prendre sa place ce soir! Il sera seul, Alexis.

VOINOV

Nous devons le soutenir de notre fierté, comme il nous soutient de son exemple. Ne pleure pas.

DORA

Regarde. Mes yeux sont secs. Mais, fière, oh, non, plus jamais je ne pourrai être fière!

STEPAN

Dora, ne me juge pas mal. Je souhaite que Yanek vive.
Nous avons besoin d'hommes comme lui.

DORA

Lui ne le souhaite pas. Et nous devons désirer qu'il meure.

ANNENKOV

Tu es folle.

DORA

Nous devons le désirer. Je connais son cœur. C'est ainsi
qu'il sera pacifié. Oh oui, qu'il meure! *(Plus bas.)* Mais qu'il
meure vite.

STEPAN

Je pars, Boria. Viens, Alexis. Orlov nous attend.

ANNENKOV

Oui, et ne tardez pas à revenir.

*Stepan et Voinov vont vers la porte. Stepan regarde
du côté de Dora.*

STEPAN

Nous allons savoir. Veille sur elle.[95]

Dora est à la fenêtre. Annenkov la regarde.

DORA

La mort! La potence! La mort encore! Ah! Boria!

ANNENKOV

Oui, petite sœur. Mais il n'y a pas d'autre solution.

DORA

Ne dis pas cela. Si la seule solution est la mort, nous ne
sommes pas sur la bonne voie. La bonne voie est celle qui
mène à la vie, au soleil. On ne peut avoir froid sans cesse ...

ANNENKOV

Celle-là mène aussi à la vie. A la vie des autres. La Russie
vivra, nos petits enfants vivront. Souviens-toi de ce que
disait Yanek: « La Russie sera belle ».

DORA

Les autres, nos petits enfants ... Oui. Mais Yanek est en
prison et la corde est froide. Il va mourir. Il est mort peut-
être déjà pour que les autres vivent. Ah! Boria, et si les
autres ne vivaient pas? Et s'il mourait pour rien?

ANNENKOV

Tais-toi.

Silence.

DORA

Comme il fait froid. C'est le printemps pourtant. Il y a des arbres dans la cour de la prison, je le sais. Il doit les voir.

ANNENKOV

Attends de savoir. Ne tremble pas ainsi.

DORA

J'ai si froid que j'ai l'impression d'être déjà morte. *(Un temps.)* Tout cela nous vieillit si vite. Plus jamais, nous ne serons des enfants, Boria. Au premier meurtre, l'enfance s'enfuit. Je lance la bombe et en une seconde, vois-tu, toute une vie s'écoule. Oui, nous pouvons mourir désormais. Nous avons fait le tour de l'homme.[96]

ANNENKOV

Alors nous mourrons en luttant, comme font les hommes.

DORA

Vous êtes allés trop vite. Vous n'êtes plus des hommes.

ANNENKOV

Le malheur et la misère allaient vite aussi. Il n'y a plus de place pour la patience et le mûrissement dans ce monde. La Russie est pressée.

DORA

Je sais. Nous avons pris sur nous le malheur du monde. Lui aussi, l'avait pris. Quel courage! Mais je me dis quelquefois que c'est un orgueil qui sera châtié.

ANNENKOV

C'est un orgueil que nous payons de notre vie. Personne ne peut aller plus loin. C'est un orgueil auquel nous avons droit.

DORA

Sommes-nous sûrs que personne n'ira plus loin? Parfois, quand j'écoute Stepan, j'ai peur. D'autres viendront peut-être qui s'autoriseront de nous pour tuer[97] et qui ne paieront pas de leur vie.

ANNENKOV

Ce serait lâche, Dora.

DORA

Qui sait? C'est peut-être cela la justice. Et plus personne alors n'osera la regarder en face.

ANNENKOV

Dora!

Elle se tait.

ANNENKOV

Est-ce que tu doutes? Je ne te reconnais pas.

DORA

J'ai froid. Je pense à lui qui doit refuser de trembler pour ne paraître pas avoir peur.

ANNENKOV

N'es-tu donc plus avec nous?

DORA, *elle se jette sur lui.*

Oh Boria, je suis avec vous! J'irai jusqu'au bout. Je hais la tyrannie et je sais que nous ne pouvons faire autrement. Mais c'est avec un cœur joyeux que j'ai choisi cela et c'est d'un cœur triste que je m'y maintiens. Voilà la différence. Nous sommes des prisonniers.

ANNENKOV

La Russie entière est en prison. Nous allons faire voler ses murs en éclats.

DORA

Donne-moi seulement la bombe à lancer et tu verras. J'avancerai au milieu de la fournaise et mon pas sera pourtant égal.[98] C'est facile, c'est tellement plus facile de mourir de ses contradictions que de les vivre. As-tu aimé, as-tu seulement aimé, Boria?

ANNENKOV

J'ai aimé, mais il y a si longtemps que je ne m'en souviens plus.

DORA

Combien de temps?

ANNENKOV

Quatre ans.

DORA

Il y en a combien que tu diriges l'Organisation?

ANNENKOV

Quatre ans. *(Un temps.)* Maintenant c'est l'Organisation que j'aime.

DORA, *marchant vers la fenêtre.*

Aimer, oui, mais être aimée! ... Non, il faut marcher. On

voudrait s'arrêter. Marche! Marche! On voudrait tendre les
bras et se laisser aller. Mais la sale injustice colle à nous
comme de la glu. Marche! Nous voilà condamnés à être plus
grands que nous-mêmes. Les êtres, les visages, voilà ce qu'on
voudrait aimer. L'amour plutôt que la justice! Non, il faut
marcher. Marche, Dora! Marche, Yanek! *(Elle pleure.)*
Mais pour lui, le but approche.

ANNENKOV, *la prenant dans ses bras*.

Il sera gracié.

DORA, *le regardant*.

Tu sais bien que non. Tu sais bien qu'il ne le faut pas.

Il détourne les yeux.

DORA

Il sort peut-être déjà dans la cour. Tout ce monde soudain
silencieux, dès qu'il apparaît. Pourvu qu'il n'ait pas froid.
Boria, sais-tu comme l'on pend?

ANNENKOV

Au bout d'une corde. Assez, Dora!

DORA, *aveuglément*.

Le bourreau saute sur les épaules. Le cou craque. N'est-ce
pas terrible?

ANNENKOV

Oui. Dans un sens. Dans un autre sens, c'est le bonheur.

DORA

Le bonheur?

ANNENKOV

Sentir la main d'un homme avant de mourir.

Dora se jette dans un fauteuil.

Silence.

ANNENKOV

Dora, il faudra partir ensuite. Nous nous reposerons un
peu.

DORA, *égarée*.

Partir? Avec qui?

ANNENKOV

Avec moi, Dora.

DORA, *elle le regarde*.

Partir! *(Elle se détourne vers la fenêtre.)* Voici l'aube.
Yanek est déjà mort, j'en suis sûre.

ANNENKOV

Je suis ton frère.

DORA

Oui, tu es mon frère, et vous êtes tous mes frères que j'aime. *(On entend la pluie. Le jour se lève. Dora parle à voix basse.)* Mais quel affreux goût a parfois la fraternité!

> On frappe. Entrent Voinov et Stepan. Tous restent
> immobiles, Dora chancelle mais se reprend dans un
> effort visible.

STEPAN, *à voix basse.*

Yanek n'a pas trahi.

ANNENKOV

Orlov a pu voir?

STEPAN

Oui.

DORA, *s'avançant fermement.*

Assieds-toi. Raconte.

STEPAN

A quoi bon?

DORA

Raconte tout. J'ai le droit de savoir. J'exige que tu racontes. Dans le détail.

STEPAN

Je ne saurai pas. Et puis, maintenant, il faut partir.

DORA

Non, tu parleras. Quand l'a-t-on prévenu?

STEPAN

A dix heures du soir.

DORA

Quand l'a-t-on pendu?

STEPAN

A deux heures du matin.

DORA

Et pendant quatre heures, il a attendu?

STEPAN

Oui, sans un mot. Et puis tout s'est précipité. Maintenant, c'est fini.

DORA

Quatre heures sans parler? Attends un peu. Comment était-il habillé? Avait-il sa pelisse? [99]

STEPAN

Non. Il était tout en noir, sans pardessus. Et il avait un feutre noir.

DORA

Quel temps faisait-il?

STEPAN

La nuit noire. La neige était sale. Et puis la pluie l'a changée en une boue gluante.

DORA

Il tremblait?

STEPAN

Non.

DORA

Orlov a-t-il rencontré son regard?

STEPAN

Non.

DORA

Que regardait-il?

STEPAN

Tout le monde, dit Orlov, sans rien voir.

DORA

Après, après?

STEPAN

Laisse, Dora.

DORA

Non, je veux savoir. Sa mort du moins est à moi.

STEPAN

On lui a lu le jugement.

DORA

Que faisait-il pendant ce temps-là?

STEPAN

Rien. Une fois seulement, il a secoué sa jambe pour enlever un peu de boue qui tachait sa chaussure.

DORA, *la tête dans les mains.*

Un peu de boue!

ANNENKOV, *brusquement.*

Comment sais-tu cela?

Stepan se tait.

ANNENKOV

Tu as tout demandé à Orlov? Pourquoi?

STEPAN, *détournant les yeux.*

Il y avait quelque chose entre Yanek et moi.

ANNENKOV

Quoi donc?

STEPAN

Je l'enviais.

DORA

Après, Stepan, après?

STEPAN

Le père Florenski est venu lui présenter le crucifix. Il a refusé de l'embrasser. Et il a déclaré: « Je vous ai déjà dit que j'en ai fini avec la vie et que je suis en règle avec la mort ».

DORA

Comment était sa voix?

STEPAN

La même exactement. Moins la fièvre et l'impatience que vous lui connaissez.

DORA

Avait-il l'air heureux?

ANNENKOV

Tu es folle?

DORA

Oui, oui, j'en suis sûre, il avait l'air heureux. Car ce serait trop injuste qu'ayant refusé d'être heureux dans la vie pour mieux se préparer au sacrifice, il n'ait pas reçu le bonheur en même temps que la mort. Il était heureux et il a marché calmement à la potence, n'est-ce pas?

STEPAN

Il a marché. On chantait sur le fleuve en contre-bas,[100] avec un accordéon. Des chiens ont aboyé à ce moment.

DORA

C'est alors qu'il est monté ...

STEPAN

Il est monté. Il s'est enfoncé dans la nuit. On a vu vaguement le linceul[101] dont le bourreau l'a recouvert tout entier.

DORA

Et puis, et puis ...

STEPAN

Des bruits sourds.

DORA

Des bruits sourds. Yanek! Et ensuite ...

Stepan se tait.

DORA, *avec violence.*

Ensuite, te dis-je. *(Stepan se tait.)* Parle, Alexis. Ensuite?

VOINOV

Un bruit terrible.

DORA

Aah. *(Elle se jette contre le mur.)*

Stepan détourne la tête. Annenkov, sans une expression, pleure. Dora se retourne, elle les regarde, adossée au mur.

DORA, *d'une voix changée, égarée.*

Ne pleurez pas. Non, non, ne pleurez pas! Vous voyez bien que c'est le jour de la justification. Quelque chose s'élève à cette heure qui est notre témoignage à nous autres révoltés: Yanek n'est plus un meurtrier. Un bruit terrible! Il a suffi d'un bruit terrible et le voilà retourné à la joie de l'enfance. Vous souvenez-vous de son rire? Il riait sans raison parfois. Comme il était jeune! Il doit rire maintenant. Il doit rire, la face contre la terre!

Elle va vers Annenkov.

DORA

Boria, tu es mon frère? Tu as dit que tu m'aiderais?

ANNENKOV

Oui.

DORA

Alors, fais cela pour moi. Donne-moi la bombe.

Annenkov la regarde.

DORA

Oui, la prochaine fois. Je veux la lancer. Je veux être la première à la lancer.

ANNENKOV

Tu sais bien que nous ne voulons pas de femmes au premier rang.

DORA, *dans un cri.*

Suis-je une femme, maintenant?

Ils la regardent. Silence.

VOINOV, *doucement.*

Accepte, Boria.

STEPAN

Oui, accepte.

ANNENKOV

C'est ton tour, Stepan.

STEPAN, *regardant Dora.*

Accepte. Elle me ressemble, maintenant.

DORA

Tu me la donneras, n'est-ce pas? Je la lancerai. Et plus tard, dans une nuit froide ...

ANNENKOV

Oui, Dora.

DORA, *elle pleure.*

Yanek! Une nuit froide, et la même corde! Tout sera plus facile maintenant.

Rideau.

Actuelles II

*Les Pharisiens de la justice** *

Le problème n'est pas de savoir si, comme vous dites, on peut tuer le gardien de la prison alors qu'il a des enfants, et pour s'évader soi-même, mais s'il est utile de tuer aussi les enfants du gardien pour libérer tous les détenus. La nuance n'est pas mince.

Notre époque ne répond ni oui, ni non. Quoique, pratiquement, elle l'ait déjà résolu, elle fait comme si le problème ne se posait pas, ce qui est plus confortable. Je ne l'ai pas, moi, posé. Mais j'ai choisi de faire revivre des gens qui se le posaient, et je les ai servis en m'effaçant derrière eux, que je respectais.

Il est bien certain cependant que leur réponse n'est pas: « il faut rester chez soi ». Elle est:

1. Il y a des limites. Les enfants sont une limite (il en est d'autres);

2. On peut tuer le gardien, exceptionnellement, au nom de la justice;

3. Mais il faut accepter de mourir soi-même.

La réponse de notre époque (réponse implicite) est, au contraire:

1. Il n'y a pas de limites. Les enfants, bien sûr, mais en somme ...

2. Tuons tout le monde au nom de la justice pour tous.

3. Mais réclamons en même temps la Légion d'honneur.[1] Ça peut servir.[2]

Les socialistes révolutionnaires de 1905 n'étaient pas des enfants de chœur. Et leur exigence de justice était autre-

* Lettre à la revue *Caliban*, à propos des *Justes*, 1950.

ment sérieuse[3] que celle qui s'exhibe aujourd'hui, avec une sorte d'obscénité, dans toutes les œuvres et dans tous les journaux. Mais c'était parce que l'amour de la justice était brûlant chez eux qu'ils ne pouvaient se résoudre à devenir de répugnants bourreaux. Ils avaient choisi l'action et la terreur pour servir la justice, mais ils avaient choisi en même temps de mourir, de payer une vie par une vie, pour que la justice demeure vivante.

Le raisonnement « moderne », comme on dit, consiste à trancher :[4] « Puisque vous ne voulez pas être des bourreaux, vous êtes des enfants de chœur » et inversement. Ce raisonnement ne figure rien d'autre qu'une bassesse.[5] Kaliayev, Dora Brillant[6] et leurs camarades réfutent cette bassesse par-dessus cinquante années et nous disent au contraire qu'il y a une justice morte et une justice vivante. Et que la justice meurt dès l'instant où elle devient un confort, où elle cesse d'être une brûlure, et un effort sur soi-même.

Nous ne savons plus voir cela parce que le monde où nous vivons est encombré de justes. En 1905, il n'y en avait qu'une poignée. Mais c'est qu'alors il s'agissait de mourir et il fallait des apôtres, espèce rare. Aujourd'hui, il ne faut plus que des bigots et les voilà légion. Mais quand on lit ce qu'on est contraint en ce moment de lire, quand on voit la face mercantile et bassement cruelle de nos derniers justes, qu'ils soient de droite ou de gauche, on ne peut s'empêcher de penser que la justice, comme la charité, a ses pharisiens.

Heureusement, il est une autre race d'homme que celle de l'enfant de chœur ou du bourreau, et même que celle, plus « moderne » du bourreau-enfant de chœur ! Celle des hommes qui, dans les pires ténèbres, essaient de maintenir la lumière de l'intelligence et de l'équité, et dont la tradition survit à la guerre et aux camps[7] qui, eux, ne survivront à rien.

Cette image de l'homme triomphera, malgré les apparences. Entre la folie de ceux qui ne veulent rien que ce qui est et la déraison de ceux qui veulent tout ce qui devrait être, ceux qui veulent vraiment quelque chose, et sont décidés à en payer le prix, seront les seuls à l'obtenir.

L'Exil et le royaume

La Pierre qui pousse

"La Pierre qui pousse" is set in Brazil, which Camus visited in 1949. The story starts with deliberate slowness as the French engineer, d'Arrast, makes his way through the Brazilian forest, to the coastal village of Iguape where he has been commissioned to build a dam. The reader follows d'Arrast and his chauffeur, who answers to the name of Socrates, as they discover the people of Iguape and participate in their lives. The story reaches its climax as d'Arrast becomes involved in the vow and fate of the black "Coq" or ship's cook, his first friend in Iguape.

The meaning of the mysterious story can only be debated by each reader in terms of the over-all title of the book—L'Exil et le royaume. "Dans la "Pierre qui pousse" writes the French critic Gaetan Picon,* "le ton est celui de la légende. Mais il y a aussi du divertissement dans cette ironie, le plaisir de conter dans ce ton légendaire." All Camus's basic images of sea, sun, water, and stone are present, as are also irony, amusement, compassion, a sense of life in all its complexity—here Camus gives us both "l'envers et l'endroit" of the human condition and, in the middle of exile, the kingdom. Better than any of his other works, perhaps, "La Pierre qui pousse" points to what Camus meant in his preface to L'Envers et l'endroit when he wrote: "Le jour où l'équilibre s'établira entre ce que je suis et ce que je dis, ce jour-là, peut-être, et j'ose à peine l'écrire, je pourrai bâtir l'œuvre dont je rêve."

This story is clearly concerned with a man's discovery of the real nature of a human community. D'Arrast is thus the

* L'Usage de la lecture, Mercure de France, 1961, vol. 2, p. 170.

antithesis of the hero of La Chute *in whom ceaseless intellectual ratiocination has taken the place of spontaneous
gestures of human sensibility.*

La voiture vira lourdement sur la piste de latérite,[1] maintenant boueuse. Les phares découpèrent soudain dans la nuit,
d'un côté de la route, puis de l'autre, deux baraques de bois
couvertes de tôle. Près de la deuxième, sur la droite, on
distinguait dans le léger brouillard, une tour bâtie de poutres
grossières. Du sommet de la tour partait un câble métallique,
invisible à son point d'attache, mais qui scintillait à mesure
qu'il descendait dans la lumière des phares pour disparaître
derrière le talus qui coupait la route. La voiture ralentit et
s'arrêta à quelques mètres des baraques.
    L'homme qui en sortit, à la droite du chauffeur, peina
pour s'extirper de la portière. Une fois debout, il vacilla un
peu sur son large corps de colosse. Dans la zone d'ombre,
près de la voiture, affaissé par la fatigue, planté lourdement
sur la terre, il semblait écouter le ralenti du moteur. Puis
il marcha dans la direction du talus et entra dans le cône
de lumière des phares. Il s'arrêta au sommet de la pente,
son dos énorme dessiné sur la nuit. Au bout d'un instant,
il se retourna. La face noire du chauffeur luisait au-dessus
du tableau de bord[2] et souriait. L'homme fit un signe; le
chauffeur coupa le contact.[3] Aussitôt, un grand silence frais
tomba sur la piste et sur la forêt. On entendit alors le bruit
des eaux.
    L'homme regardait le fleuve, en contrebas, signalé seule-
ment par un large mouvement d'obscurité, piqué d'écailles
brillantes. Une nuit plus dense et figée, loin, de l'autre côté,
devait être la rive. En regardant bien, cependant, on apercevait sur cette rive immobile une flamme jaunâtre, comme
un quinquet[4] dans le lointain. Le colosse se retourna vers
la voiture et hocha la tête. Le chauffeur éteignit ses phares,[5]
les alluma, puis les fit clignoter régulièrement. Sur le talus,
l'homme apparaissait, disparaissait, plus grand et plus massif
à chaque résurrection. Soudain, de l'autre côté du fleuve, au

bout d'un bras invisible, une lanterne s'éleva plusieurs fois
dans l'air. Sur un dernier signe du guetteur, le chauffeur
éteignit définitivement ses phares. La voiture et l'homme
disparurent dans la nuit. Les phares éteints, le fleuve était
presque visible ou, du moins, quelques-uns de ses longs
muscles liquides qui brillaient par intervalles. De chaque
côté de la route, les masses sombres de la forêt se dessinaient
sur le ciel et semblaient toutes proches. La petite pluie qui
avait détrempé[6] la piste, une heure auparavant, flottait encore dans l'air tiède, alourdissait le silence et l'immobilité
de cette grande clairière[7] au milieu de la forêt vierge. Dans
le ciel noir tremblaient des étoiles embuées.

Mais de l'autre rive montèrent des bruits de chaînes, et
des clapotis étouffés. Au-dessus de la baraque, à droite de
l'homme qui attendait toujours, le câble se tendit. Un grincement sourd[8] commença de le parcourir, en même temps que
s'élevait du fleuve un bruit, à la fois vaste et faible, d'eaux
labourées. Le grincement s'égalisa, le bruit d'eaux s'élargit
encore, puis se précisa, en même temps que la lanterne gros-
sissait. On distinguait nettement, à présent, le halo jaunâtre
qui l'entourait. Le halo se dilata peu à peu et de nouveau se
rétrécit, tandis que la lanterne brillait à travers la brume et
commençait d'éclairer, au-dessus et autour d'elle, une sorte
de toit carré en palmes sèches, soutenu aux quatre coins par
de gros bambous. Ce grossier appentis,[9] autour duquel s'agi-
taient des ombres confuses, avançait avec lenteur vers la
rive. Lorsqu'il fut à peu près au milieu du fleuve, on aperçut
distinctement, découpés dans la lumière jaune, trois petits
hommes au torse nu, presque noirs, coiffés de chapeaux
coniques. Ils se tenaient immobiles sur leurs jambes légèrement écartées, le corps un peu penché pour compenser la
puissante dérive[10] du fleuve soufflant de toutes ses eaux invisibles sur le flanc d'un grand radeau grossier qui, le dernier,
sortit de la nuit et des eaux. Quand le bac se fut encore
rapproché, l'homme distingua derrière l'appentis, du côté
de l'aval,[11] deux grands nègres coiffés, eux aussi, de larges
chapeaux de paille et vêtus seulement d'un pantalon de toile
bise.[12] Côte à côte, ils pesaient de tous leurs muscles sur
des perches qui s'enfonçaient lentement dans le fleuve, vers

l'arrière du radeau, pendant que les nègres, du même mouvement ralenti, s'inclinaient au-dessus des eaux jusqu'à la limite de l'équilibre. A l'avant, les trois mulâtres, immobiles, silencieux, regardaient venir la rive sans lever les yeux vers celui qui les attendait.

Le bac cogna[13] soudain contre l'extrémité d'un embarcadère qui avançait dans l'eau et que la lanterne, qui oscillait sous le choc, venait seulement de révéler. Les grands nègres s'immobilisèrent, les mains au-dessus de leur tête, agrippées à l'extrémité des perches à peine enfoncées, mais les muscles tendus et parcourus d'un frémissement continu qui semblait venir de l'eau elle-même et de sa pesée. Les autres passeurs lancèrent des chaînes autour des poteaux de l'embarcadère, sautèrent sur les planches, et rabattirent une sorte de pont-levis grossier qui recouvrit d'un plan incliné l'avant du radeau.

L'homme revint vers la voiture et s'y installa pendant que le chauffeur mettait son moteur en marche. La voiture aborda lentement le talus, pointa son capot vers le ciel, puis le rabattit vers le fleuve et entama la pente.[14] Les freins serrés, elle roulait, glissait un peu sur la boue, s'arrêtait, repartait. Elle s'engagea sur l'embarcadère dans un bruit de planches rebondissantes, atteignit l'extrémité où les mulâtres, toujours silencieux, s'étaient rangés de chaque côté, et plongea doucement vers le radeau. Celui-ci piqua du nez[15] dans l'eau dès que les roues avant l'atteignirent et remonta presque aussitôt pour recevoir le poids entier de la voiture. Puis le chauffeur laissa courir sa machine jusqu'à l'arrière, devant le toit carré où pendait la lanterne. Aussitôt, les mulâtres replièrent[16] le plan incliné sur l'embarcadère et sautèrent d'un seul mouvement sur le bac, le décollant en même temps de la rive boueuse. Le fleuve s'arc-bouta sous le radeau et le souleva sur la surface des eaux où il dériva lentement au bout de la longue tringle[17] qui courait maintenant dans le ciel, le long du câble. Les grands noirs détendirent alors leur effort et ramenèrent les perches. L'homme et le chauffeur sortirent de la voiture et vinrent s'immobiliser sur le bord du radeau, face à l'amont.[18] Personne n'avait parlé pendant la manœuvre et, maintenant encore, chacun se tenait à sa place, immobile et silencieux, excepté un des grands nègres qui roulait une cigarette dans du papier grossier.

L'homme regardait la trouée[19] par où le fleuve surgissait de la grande forêt brésilienne et descendait vers eux. Large à cet endroit de plusieurs centaines de mètres, il pressait des eaux troubles et soyeuses sur le flanc du bac puis, libéré aux deux extrémités, le débordait et s'étalait à nouveau en un seul flot puissant qui coulait doucement, à travers la forêt obscure, vers la mer et la nuit. Une odeur fade, venue de l'eau ou du ciel spongieux, flottait. On entendait maintenant le clapotis des eaux lourdes sous le bac et, venus des deux rives, l'appel espacé des crapauds-buffles[20] ou d'étranges cris d'oiseaux. Le colosse se rapprocha du chauffeur. Celui-ci, petit et maigre, appuyé contre un des piliers de bambou, avait enfoncé ses poings dans les poches d'une combinaison[21] autrefois bleue, maintenant couverte de la poussière rouge qu'ils avaient remâchée[22] pendant toute la journée. Un sourire épanoui sur son visage tout plissé malgré sa jeunesse, il regardait sans les voir les étoiles exténuées[23] qui nageaient encore dans le ciel humide.

Mais les cris d'oiseaux se firent plus nets, des jacassements[24] inconnus s'y mêlèrent et, presque aussitôt, le câble se mit à grincer. Les grands noirs enfoncèrent leurs perches et tâtonnèrent, avec des gestes d'aveugles, à la recherche du fond. L'homme se retourna vers la rive qu'ils venaient de quitter. Elle était à son tour recouverte par la nuit et les eaux, immense et farouche comme le continent d'arbres qui s'étendait au-delà sur des milliers de kilomètres. Entre l'océan tout proche et cette mer végétale, la poignée d'hommes qui dérivait à cette heure sur un fleuve sauvage semblait maintenant perdue. Quand le radeau heurta le nouvel embarcadère ce fut comme si, toutes amarres rompues,[25] ils abordaient une île dans les ténèbres, après des jours de navigation effrayée.

A terre, on entendit enfin la voix des hommes. Le chauffeur venait de les payer et, d'une voix étrangement gaie dans la nuit lourde, ils saluaient en portugais la voiture qui se remettait en marche.

« Ils ont dit soixante, les kilomètres d'Iguape. Trois heures tu roules et c'est fini. Socrate est content »,[26] annonça le chauffeur.

L'homme rit, d'un bon rire, massif et chaleureux, qui lui ressemblait.

« Moi aussi, Socrate, je suis content. La piste est dure.

— Trop lourd, monsieur d'Arrast, tu[27] es trop lourd », et le chauffeur riait aussi sans pouvoir s'arrêter.

La voiture avait pris un peu de vitesse. Elle roulait entre des hauts murs d'arbres et de végétation inextricable, au milieu d'une odeur molle et sucrée. Des vols entrecroisés de mouches lumineuses traversaient sans cesse l'obscurité de la forêt et, de loin en loin, des oiseaux aux yeux rouges venaient battre pendant une seconde le pare-brise.[28] Parfois, un feulement[29] étrange leur parvenait des profondeurs de la nuit et le chauffeur regardait son voisin en roulant comiquement les yeux.

La route tournait et retournait, franchissait de petites rivières sur des ponts de planches bringuebalantes.[30] Au bout d'une heure, la brume commença de s'épaissir. Une petite pluie fine, qui dissolvait la lumière des phares, se mit à tomber. D'Arrast, malgré les secousses, dormait à moitié. Il ne roulait plus dans la forêt humide, mais à nouveau sur les routes de la Serra qu'ils avaient prises le main, au sortir de São Paulo.[31] Sans arrêt, de ces pistes de terre s'élevait la poussière rouge dont ils avaient encore le goût dans la bouche et qui, de chaque côté, aussi loin que portait la vue, recouvrait la végétation rare de la steppe. Le soleil lourd, les montagnes pâles et ravinées, les zébus faméliques rencontrés sur les routes avec, pour seule escorte, un vol fatigué d'urubus dépenaillés,[32] la longue, longue navigation à travers un désert rouge ... Il sursauta. La voiture s'était arrêtée. Ils étaient maintenant au Japon: des maisons à la décoration fragile de chaque côté de la route et, dans les maisons, des kimonos furtifs. Le chauffeur parlait à un Japonais, vêtu d'une combinaison sale, coiffé d'un chapeau de paille brésilien. Puis la voiture démarra.

« Il a dit quarante kilomètres seulement.

— Où étions-nous? A Tokio?

— Non, Registro. Chez nous tous les Japonais viennent là.

— Pourquoi?

— On sait pas. Ils sont jaunes, tu sais, monsieur d'Arrast. »

Mais la forêt s'éclaircissait[33] un peu, la route devenait plus facile, quoique glissante. La voiture patinait[34] sur du sable. Par la portière, entrait un souffle humide, tiède, un peu aigre.

« Tu sens, dit le chauffeur avec gourmandise, c'est la bonne mer. Bientôt Iguape.

— Si nous avons assez d'essence », dit d'Arrast.

Et il se rendormit paisiblement.

Au petit matin, d'Arrast, assis dans son lit, regardait avec étonnement la salle où il venait de se réveiller. Les grands murs, jusqu'à mi-hauteur, étaient fraîchement badigeonnés de chaux brune.[35] Plus haut, ils avaient été peints en blanc à une époque lointaine et des lambeaux de croûtes jaunâtres les recouvraient jusqu'au plafond. Deux rangées de six lits se faisaient face. D'Arrast ne voyait qu'un lit défait à l'extrémité de sa rangée, et ce lit était vide. Mais il entendit du bruit à sa gauche et se retourna vers la porte où Socrate, une bouteille d'eau minérale dans chaque main, se tenait en riant. « Heureux souvenir! » disait-il. D'Arrast se secoua. Oui, l'hôpital où le maire les avait logés la veille s'appelait « Heureux souvenir ». « Sûr souvenir, continuait Socrate. Ils m'ont dit d'abord construire l'hôpital, plus tard construire l'eau. En attendant, heureux souvenir, tiens l'eau piquante[36] pour te laver. » Il disparut, riant et chantant, nullement épuisé, en apparence, par les éternuements cataclysmiques[37] qui l'avaient secoué toute la nuit et avaient empêché d'Arrast de fermer l'œil.

Maintenant, d'Arrast était tout à fait réveillé. A travers les fenêtres grillagées, en face de lui, il apercevait une petite cour de terre rouge, détrempée par la pluie qu'on voyait couler sans bruit sur un bouquet de grands aloès. Une femme passait, portant à bout de bras un foulard jaune déployé au-dessus de sa tête. D'Arrast se recoucha, puis se redressa aussitôt et sortit du lit qui plia et gémit sous son poids. Socrate entrait au même moment: « A toi, monsieur d'Ar-

rast. Le maire attend dehors. » Mais devant l'air de d'Arrast:
« Reste tranquille, lui jamais pressé. »

Rasé à l'eau minérale, d'Arrast sortit sous le porche du
pavillon. Le maire qui avait la taille et, sous ses lunettes
cerclées d'or, la mine d'une belette aimable,[38] semblait ab-
sorbé dans une contemplation morne de la pluie. Mais un
ravissant sourire le transfigura dès qu'il aperçut d'Arrast.
Il raidit sa petite taille, se précipita et tenta d'entourer de
ses bras le torse de « M. l'ingénieur ». Au même moment,
une voiture freina devant eux, de l'autre côté du petit mur
de la cour, dérapa dans la glaise mouillée, et s'arrêta de
guingois.[39] « Le juge! » dit le maire. Le juge, comme le
maire, était habillé de bleu marine. Mais il était beaucoup
plus jeune ou, du moins, le paraissait à cause de sa taille
élégante et son frais visage d'adolescent étonné. Il traver-
sait maintenant la cour, dans leur direction, en évitant les
flaques d'eau avec beaucoup de grâce. A quelques pas de
d'Arrast, il tendait déjà les bras et lui souhaitait la bienvenue.
Il était fier d'accueillir M. l'ingénieur,[40] c'était un honneur
que ce dernier faisait à leur pauvre ville, il se réjouissait du
service inestimable que M. l'ingénieur allait rendre à Iguape
par la construction de cette petite digue qui éviterait l'inon-
dation périodique des bas quartiers. Commander aux eaux,
dompter les fleuves, ah! le grand métier, et sûrement les
pauvres gens d'Iguape retiendraient le nom de M. l'ingénieur et dans beaucoup d'années encore le prononceraient
dans leurs prières. D'Arrast, vaincu par tant de charme et
d'éloquence, remercia et n'osa plus se demander ce qu'un
juge pouvait avoir à faire avec une digue. Au reste, il fallait, selon le maire, se rendre au club où les notables dési-
raient recevoir dignement M. l'ingénieur avant d'aller visiter
les bas quartiers. Qui étaient les notables?

« Eh! bien, dit le maire, moi-même, en tant que maire,
M. Carvalho, ici présent, le capitaine du port, et quelques
autres moins importants. D'ailleurs, vous n'aurez pas à vous
en occuper, ils ne parlent pas français. »

D'Arrast appela Socrate et lui dit qu'il le retrouverait à
la fin de la matinée.

« Bien oui, dit Socrate. J'irai au Jardin de la Fontaine.

« — Au Jardin?

— Oui, tout le monde connaît. Sois pas peur,[41] monsieur d'Arrast. »

L'hôpital, d'Arrast s'en aperçut en sortant, était construit en bordure de la forêt, dont les frondaisons[42] massives surplombaient presque les toits. Sur toute la surface des arbres tombait maintenant un voile d'eau fine que la forêt épaisse absorbait sans bruit, comme une énorme éponge. La ville, une centaine de maisons à peu près, couvertes de tuiles aux couleurs éteintes, s'étendait entre la forêt et le fleuve, dont le souffle lointain parvenait jusqu'à l'hôpital. La voiture s'engagea d'abord dans des rues détrempées et déboucha presque aussitôt sur une place rectangulaire, assez vaste, qui gardait dans son argile rouge, entre de nombreuses flaques, des traces de pneus, de roues ferrées et de sabots. Tout autour, les maisons basses, couvertes de crépi[43] multicolore, fermaient la place derrière laquelle on apercevait les deux tours rondes d'une église bleue et blanche, de style colonial. Sur ce décor nu flottait, venant de l'estuaire, une odeur de sel. Au milieu de la place erraient quelques silhouettes mouillées. Le long des maisons, une foule bigarrée de gauchos, de Japonais, d'Indiens métis et de notables élégants, dont les complets sombres paraissaient ici exotiques, circulaient à petits pas, avec des gestes lents. Ils se garaient[44] sans hâte, poir faire place à la voiture, puis s'arrêtaient et la suivaient du regard. Lorsque la voiture stoppa devant une des maisons de la place, un cercle de gauchos humides se forma silencieusement autour d'elle.

Au club, une sorte de petit bar au premier étage, meublé d'un comptoir de bambous et de guéridons en tôle,[45] les notables étaient nombreux. On but de l'alcool de canne en l'honneur de d'Arrast, après que le maire, verre en main, lui eut souhaité la bienvenue et tout le bonheur du monde. Mais pendant que d'Arrast buvait, près de la fenêtre, un grand escogriffe,[46] en culotte de cheval et leggins, vint lui tenir, en chancelant un peu, un discours rapide et obscur où l'ingénieur reconnut seulement le mot « passeport ». Il hésita, puis sortit le document dont l'autre s'empara avec voracité. Après avoir feuilleté le passeport, l'escogriffe af-

ficha une mauvaise humeur évidente. Il reprit son discours,
secouant le carnet sous le nez de l'ingénieur qui, sans s'é-
mouvoir,[47] contemplait le furieux. A ce moment, le juge,
souriant, vint demander de quoi il était question. L'ivrogne
examina un moment la frêle créature qui se permettait de
l'interrompre puis, chancelant de façon plus dangereuse,
secoua encore le passeport devant les yeux de son nouvel
interlocuteur. D'Arrast, paisiblement, s'assit près d'un gué-
ridon et attendit. Le dialogue devint très vif et, soudain, le
juge étrenna[48] une voix fracassante qu'on ne lui aurait pas
soupçonnée. Sans que rien l'eût fait prévoir, l'escogriffe
battit soudain en retraite avec l'air d'un enfant pris en faute.
Sur une dernière injonction du juge, il se dirigea vers la
porte, de la démarche oblique du cancre puni, et disparut.

Le juge vint aussitôt expliquer à d'Arrast, d'une voix
redevenue harmonieuse, que ce grossier personnage était
le chef de la police, qu'il osait prétendre que le passeport
n'était pas en règle et qu'il serait puni de son incartade.[49]
M. Carvalho s'adressa ensuite aux notables, qui faisaient
cercle, et sembla les interroger. Après une courte discussion,
le juge exprima des excuses solennelles à d'Arrast, lui demanda d'admettre que seule l'ivresse pouvait expliquer un
tel oubli des sentiments de respect et de reconnaissance que
lui devait la ville d'Iguape tout entière et, pour finir, lui
demanda de bien vouloir décider lui-même de la punition
qu'il convenait d'infliger à ce personnage calamiteux. D'Arrast dit qu'il ne voulait pas de punition, que c'était un incident sans importance et qu'il était surtout pressé d'aller au
fleuve. Le maire prit alors la parole pour affirmer avec
beaucoup d'affectueuse bonhomie qu'une punition, vraiment, était indispensable, que le coupable resterait aux
arrêts et qu'ils attendraient tous ensemble que leur éminent
visiteur voulût bien décider de son sort. Aucune protestation
ne put fléchir cette rigueur souriante et d'Arrast dut promettre qu'il réfléchirait. On décida ensuite de visiter les bas
quartiers.

Le fleuve étalait déjà largement ses eaux jaunies sur les
rives basses et glissantes. Ils avaient laissé derrière eux les
dernières maisons d'Iguape et ils se trouvaient entre le

fleuve et un haut talus escarpé où s'accrochaient des cases
de torchis et de branchages.[50] Devant eux, à l'extrémité du
remblai,[51] la forêt recommençait, sans transition, comme sur
l'autre rive. Mais la trouée des eaux s'élargissait rapidement
entre les arbres jusqu'à une ligne indistincte, un peu plus
grise que jaune, qui était la mer. D'Arrast, sans rien dire,
marcha vers le talus au flanc duquel les niveaux différents
des crues[52] avaient laissé des traces encore fraîches. Un
sentier boueux remontait vers les cases. Devant ces dernières, des noirs se dressaient, silencieux, regardant les nouveaux venus. Quelques couples se tenaient par la main et,
tout au bord du remblai, devant les adultes, une rangée de
tendres négrillons, au ventre ballonné[53] et aux cuisses grêles,
écarquillaient des yeux ronds.

Parvenu devant les cases, d'Arrast appela d'un geste le
commandant du port. Celui-ci était un gros noir rieur vêtu
d'un uniforme blanc. D'Arrast lui demanda en espagnol s'il
était possible de visiter une case. Le commandant en était
sûr, il trouvait même que c'était une bonne idée, et M. l'ingénieur allait voir des choses très intéressantes. Il s'adressa
aux noirs, leur parlant longuement, en désignant d'Arrast
et le fleuve. Les autres écoutaient, sans mot dire. Quand le
commandant eut fini, personne ne bougea. Il parla de nouveau, d'une voix impatiente. Puis il interpella un des hommes qui secoua la tête. Le commandant dit alors quelques
mots brefs sur un ton impératif. L'homme se détacha du
groupe, fit face à d'Arrast et, d'un geste, lui montra le
chemin. Mais son regard était hostile. C'était un homme
assez âgé, à la tête couverte d'une courte laine grisonnante,
le visage mince et flétri,[54] le corps pourtant jeune encore,
avec de dures épaules sèches et des muscles visibles sous le
pantalon de toile et la chemise déchirée. Ils avancèrent, suivi
du commandant et de la foule des noirs, et grimpèrent sur
un nouveau talus, plus déclive,[55] où les cases de terre, de
fer-blanc et de roseaux s'accrochaient si difficilement au
sol qu'il avait fallu consolider leur base avec de grosses
pierres. Ils croisèrent une femme qui descendait le sentier,
glissant parfois sur ses pieds nus, portant haut sur la tête
un bidon[56] de fer plein d'eau. Puis, ils arrivèrent à une

sorte de petite place délimitée par trois cases. L'homme marcha vers l'une d'elles et poussa une porte de bambous dont les gonds[57] étaient faits de lianes. Il s'effaça, sans rien dire, fixant l'ingénieur du même regard impassible. Dans la case, d'Arrast ne vit d'abord rien qu'un feu mourant, à même le sol, au centre exact de la pièce. Puis, il distingua dans un coin, au fond, un lit de cuivre au sommier nu et défoncé, une table dans l'autre coin, couverte d'une vaisselle de terre et, entre les deux, une sorte de tréteau où trônait un chromo[58] représentant saint Georges. Pour le reste, rien qu'un tas de loques, à droite de l'entrée et, au plafond, quelques pagnes[59] multicolores qui séchaient au-dessus du feu. D'Arrast, immobile, respirait l'odeur de fumée et de misère qui montait du sol et le prenait à la gorge. Derrière lui, le commandant frappa dans ses mains. L'ingénieur se retourna et, sur le seuil, à contre-jour,[60] il vit seulement arriver la gracieuse silhouette d'une jeune fille noire qui lui tendait quelque chose: il se saisit d'un verre et but l'épais alcool de canne qu'il contenait. La jeune fille tendit son plateau pour recevoir le verre vide et sortit dans un mouvement si souple et si vivant que d'Arrast eut soudain envie de la retenir.

Mais, sorti derrière elle, il ne la reconnut pas dans la foule des noirs et des notables qui s'était amassée autour de la case. Il remercia le vieil homme, qui s'inclina sans un mot. Puis il partit. Le commandant, derrière lui, reprenait ses explications, demandait quand la Société française de Rio pourrait commencer les travaux et si la digue pourrait être construite avant les grandes pluies. D'Arrast ne savait pas, il n'y pensait pas en vérité. Il descendait vers le fleuve frais, sous la pluie impalpable. Il écoutait toujours ce grand bruit spacieux qu'il n'avait cessé d'entendre depuis son arrivée, et dont on ne pouvait dire s'il était fait du froissement des eaux ou des arbres. Parvenu sur la rive, il regardait au loin la ligne indécise de la mer, les milliers de kilomètres d'eaux solitaires et l'Afrique, et, au-delà, l'Europe d'où il venait.

« Commandant, dit-il, de quoi vivent ces gens que nous venons de voir?

—Ils travaillent quand on a besoin d'eux, dit le commandant. Nous sommes pauvres.

— Ceux-là sont les plus pauvres?

— Ils sont les plus pauvres. »

Le juge qui, à ce moment-là, arrivait en glissant légèrement sur ses fins souliers dit qu'ils aimaient déjà M. l'ingénieur qui allait leur donner du travail.

« Et vous savez, dit-il, ils dansent et ils chantent tous les jours. »

Puis, sans transition, il demanda à d'Arrast s'il avait pensé à la punition.

« Quelle punition?

— Eh bien, notre chef de police.

— Il faut le laisser. » Le juge dit que ce n'était pas possible et qu'il fallait punir. D'Arrast marchait déjà vers Iguape.

Dans le petit Jardin de la Fontaine, mystérieux et doux sous la pluie fine, des grappes de fleurs étranges dévalaient le long des lianes entre les bananiers et les pandanus.[61] Des amoncellements[62] de pierres humides marquaient le croisement des sentiers où circulait, à cette heure, une foule bariolée.[63] Des métis, des mulâtres, quelques gauchos y bavardaient à voix faible ou s'enfonçaient, du même pas lent, dans les allées de bambous jusqu'à l'endroit où les bosquets et les taillis[64] devenaient plus denses, puis impénétrables. Là, sans transition, commençait la forêt.

D'Arrast cherchait Socrate au milieu de la foule quand il le reçut dans son dos.[65]

« C'est la fête, dit Socrate en riant, et il s'appuyait sur les hautes épaules de d'Arrast pour sauter sur place.

— Quelle fête?

— Eh! s'étonna Socrate qui faisait face maintenant à d'Arrast, tu connais pas?[66] La fête du bon Jésus. Chaque l'année, tous viennent à la grotte avec le marteau. »

Socrate montrait non pas une grotte, mais un groupe qui semblait attendre dans un coin du jardin.

« Tu vois! Un jour, la bonne statue de Jésus, elle est arrivée de la mer, en remontant le fleuve. Des pêcheurs l'a trouvée.[67] Que belle! Que belle![68] Alors, ils l'a lavée ici dans

la grotte. Et maintenant une pierre a poussé dans la grotte.
Chaque année, c'est la fête. Avec le marteau, tu casses, tu
casses des morceaux pour le bonheur béni. Et puis quoi,
elle pousse toujours, toujours tu casses. C'est le miracle. »

Ils étaient arrivés à la grotte dont on apercevait l'entrée
basse par-dessus les hommes qui attendaient. A l'intérieur,
dans l'ombre piquée par des flammes tremblantes de bougies,
une forme accroupie cognait en ce moment avec un marteau.
L'homme, un gaucho maigre aux longues moustaches, se
releva et sortit, tenant dans sa paume offerte à tous un petit
morceau de schiste humide sur lequel, au bout de quelques
secondes, et avant de s'éloigner, il referma la main avec
précaution. Un autre homme alors entra dans la grotte en
se baissant.

D'Arrast se retourna. Autour de lui, les pèlerins attendaient, sans le regarder, impassibles sous l'eau qui descendait des arbres en voiles fins. Lui aussi attendait, devant
cette grotte, sous la même brume d'eau, et il ne savait quoi.
Il ne cessait d'attendre, en vérité, depuis un mois qu'il était
arrivé dans ce pays. Il attendait, dans la chaleur rouge des
jours humides, sous les étoiles menues de la nuit, malgré
les tâches qui étaient les siennes, les digues à bâtir, les routes
à ouvrir, comme si le travail qu'il était venu faire ici n'était
qu'un prétexte, l'occasion d'une surprise, ou d'une rencontre
qu'il n'imaginait même pas, mais qui l'aurait attendu, pa-
tiemment, au bout du monde. Il se secoua, s'éloigna sans
que personne, dans le petit groupe, fît attention à lui, et se
dirigea vers la sortie. Il fallait retourner au fleuve et travailler.

Mais Socrate l'attendait à la porte, perdu dans une conversation volubile avec un homme petit et gros, râblé,[69] à la
peau jaune plutôt que noire. Le crâne complètement rasé
de ce dernier agrandissait encore un front de belle courbure.
Son large visage lisse s'ornait au contraire d'une barbe très
noire, taillée en carré.

« Celui-là, champion! dit Socrate en guise de présenta-
tion. Demain, il fait la procession. »

L'homme, vêtu d'un costume marin en grosse serge, un
tricot à raies bleues et blanches sous la vareuse marinière,[70]

examinait d'Arrast, attentivement, de ses yeux noirs et tranquilles. Il souriait en même temps de toutes ses dents très blanches entre les lèvres pleines et luisantes.

« Il parle d'espagnol, dit Socrate et, se tournant vers l'inconnu:

— Raconte[71] M. d'Arrast. » Puis il partit en dansant vers un autre groupe. L'homme cessa de sourire et regarda d'Arrast avec une franche curiosité.

Ça t'intéresse, capitaine?

— Je ne suis pas capitaine, dit d'Arrast.

— Ça ne fait rien. Mais tu es seigneur.[72] Socrate me l'a dit.

— Moi, non. Mais mon grand-père l'était. Son père aussi et tous ceux d'avant son père. Maintenant, il n'y a plus de seigneurs dans nos pays.

— Ah! dit le noir en riant, je comprends, tout le monde est seigneur.

— Non, ce n'est pas cela. Il n'y a ni seigneurs ni peuple. »

L'autre réfléchissait, puis il se décida:

« Personne ne travaille, personne ne souffre?

— Oui, des millions d'hommes.

— Alors, c'est le peuple.

— Comme cela oui, il y a un peuple. Mais ses maîtres sont des policiers ou des marchands. »

Le visage bienveillant du mulâtre se referma. Puis il grogna: « Humph! Acheter et vendre, hein! Quelle saleté! Et avec la police, les chiens commandent. »

Sans transition, il éclata de rire.

« Toi, tu ne vends pas?

— Presque pas. Je fais des ponts, des routes.

— Bon, ça! Moi, je suis coq sur un bateau. Si tu veux, je te ferai notre plat de haricots noirs.

— Je veux bien. »

Le coq se rapprocha de d'Arrast et lui prit le bras.

« Ecoute, j'aime ce que tu dis. Je vais te dire aussi. Tu aimeras peut-être. »

Il l'entraîna, près de l'entrée, sur un banc de bois humide, au pied d'un bouquet de bambous.

« J'étais en mer, au large d'Iguape, sur un petit pétrolier

qui fait le cabotage[73] pour approvisionner les ports de la côte. Le feu a pris à bord. Pas par ma faute, eh! je sais mon métier! Non, le malheur! Nous avons pu mettre les canots à l'eau. Dans la nuit, la mer s'est levée, elle a roulé le canot, j'ai coulé.[74] Quand je suis remonté, j'ai heurté le canot de la tête. J'ai dérivé. La nuit était noire, les eaux sont grandes et puis je nage mal, j'avais peur. Tout d'un coup, j'ai vu une lumière au loin, j'ai reconnu le dôme de l'église du bon Jésus à Iguape. Alors, j'ai dit au bon Jésus que je porterais à la procession une pierre de cinquante kilos sur la tête s'il me sauvait. Tu ne me crois pas, mais les eaux se sont calmées et mon cœur aussi. J'ai nagé doucement, j'étais heureux, et je suis arrivé à la côte. Demain, je tiendrai ma promesse. »

Il regarda d'Arrast d'un air soudain soupçonneux.

« Tu ne ris pas, hein?

— Je ne ris pas. Il faut faire ce que l'on a promis. »

L'autre lui frappa sur l'épaule.

« Maintenant, viens chez mon frère, près du fleuve. Je te cuirai des haricots.

— Non, dit d'Arrast, j'ai à faire. Ce soir, si tu veux.

— Bon. Mais cette nuit, on danse et on prie, dans la grande case. C'est la fête pour saint Georges. » D'Arrast lui demanda s'il dansait aussi. Le visage du coq se durcit tout d'un coup; ses yeux, pour la première fois, fuyaient.

« Non, non, je ne danserai pas. Demain, il faut porter la pierre. Elle est lourde. J'irai ce soir, pour fêter le saint. Et puis je partirai tôt.

— Ça dure longtemps?

— Toute la nuit, un peu le matin. »

Il regarda d'Arrast, d'un air vaguement honteux.

« Viens à la danse. Et tu m'emmèneras après. Sinon, je resterai, je danserai, je ne pourrai peut-être pas m'empêcher.

— Tu aimes danser? »

Les yeux du coq brillèrent d'une sorte de gourmandise.

« Oh! oui, j'aime. Et puis il y a les cigares, les saints, les femmes. On oublie tout, on n'obéit plus.

— Il y a des femmes? Toutes les femmes de la ville?

— De la ville, non, mais des cases. »

Le coq retrouva son sourire.

« Viens. Au capitaine, j'obéis. Et tu m'aideras à tenir demain la promesse. »

D'Arrast se sentit vaguement agacé. Que lui faisait cette absurde promesse?[75] Mais il regarda le beau visage ouvert qui lui souriait avec confiance et dont la peau noire luisait de santé et de vie.

« Je viendrai, dit-il. Maintenant, je vais t'accompagner un peu. »

Sans savoir pourquoi, il revoyait en même temps la jeune fille noire lui présenter l'offrande de bienvenue.

Ils sortirent du jardin, longèrent[76] quelques rues boueuses et parvinrent sur la place défoncée que la faible hauteur des maisons qui l'entouraient faisait paraître encore plus vaste. Sur le crépi des murs, l'humidité ruisselait[77] maintenant, bien que la pluie n'eût pas augmenté. A travers les espaces spongieux du ciel, la rumeur du fleuve et des arbres parvenait, assourdie, jusqu'à eux. Ils marchaient d'un même pas, lourd chez d'Arrast, musclé chez le coq. De temps en temps, celui-ci levait la tête et souriait à son compagnon. Ils prirent la direction de l'église qu'on apercevait au-dessus des maisons, atteignirent l'extrémité de la place, longèrent encore des rues boueuses où flottaient maintenant des odeurs agressives de cuisine. De temps en temps, une femme, tenant une assiette ou un instrument de cuisine, montrait dans l'une des portes un visage curieux, et disparaissait aussitôt. Ils passèrent devant l'église, s'enfoncèrent dans un vieux quartier, entre les mêmes maisons basses, et débouchèrent soudain sur le bruit du fleuve invisible, derrière le quartier des cases que d'Arrast reconnut.

« Bon. Je te laisse. A ce soir, dit-il.

— Oui, devant l'église. »

Mais le coq retenait en même temps la main de d'Arrast. Il hésitait. Puis il se décida:

« Et toi, n'as-tu jamais appelé, fait une promesse?

— Si, une fois, je crois.

— Dans un naufrage?

— Si tu veux. » Et d'Arrast dégagea sa main brusquement. Mais au moment de tourner les talons, il rencontra le regard du coq. Il hésita, puis sourit.

« Je puis te le dire, bien que ce soit sans importance. Quelqu'un allait mourir par ma faute. Il me semble que j'ai appelé.

— Tu as promis?

— Non. J'aurais voulu promettre.

— Il y a longtemps?

— Peu avant de venir ici. »

Le coq prit sa barbe à deux mains. Ses yeux brillaient.

« Tu es un capitaine, dit-il. Ma maison est la tienne. Et puis, tu vas m'aider à tenir ma promesse, c'est comme si tu la faisais toi-même. Ça t'aidera aussi. »

D'Arrast sourit: « Je ne crois pas.

— Tu es fier, capitaine.

— J'étais fier, maintenant je suis seul. Mais dis-moi seulement, ton bon Jésus t'a toujours répondu?

— Toujours, non, capitaine!

— Alors? »

Le coq éclata d'un rire frais et enfantin.

« Eh bien, dit-il, il est libre, non? »

Au club, où d'Arrast déjeunait avec les notables, le maire lui dit qu'il devait signer le livre d'or[78] de la municipalité pour qu'un témoignage subsistât au moins du grand événement que constituait sa venue à Iguape. Le juge de son côté trouva deux ou trois nouvelles formules pour célébrer, outre les vertus et les talents de leur hôte, la simplicité qu'il mettait à représenter parmi eux le grand pays auquel il avait l'honneur d'appartenir. D'Arrast dit seulement qu'il y avait cet honneur, qui certainement en était un, selon sa conviction, et qu'il y avait aussi l'avantage pour sa société d'avoir obtenu l'adjudication[79] de ces longs travaux. Sur quoi le juge se récria[80] devant tant d'humilité. « A propos, dit-il, avez-vous pensé à ce que nous devons faire du chef de la police? » D'Arrast le regarda en souriant. « J'ai trouvé. » Il considérerait comme une faveur personnelle, et une grâce très exceptionnelle, qu'on voulût bien pardonner en son nom à cet étourdi, afin que son séjour, à lui, d'Arrast, qui se réjouissait tant de connaître la belle ville d'Iguape et ses généreux habitants, pût commencer dans un climat de concorde et d'amitié. Le juge, attentif et souriant, hochait la tête. Il médita un moment la formule, en connaisseur, s'adressa ensuite aux assistants pour leur faire applaudir les magnanimes traditions de la grande nation française et, tourné de nouveau vers d'Arrast, se déclara satisfait. « Puisqu'il en est ainsi, conclut-il, nous dînerons ce soir avec le chef. » Mais d'Arrast dit qu'il était invité par des amis à la cérémonie de danses, dans les cases. « Ah, oui! dit le juge. Je suis content que vous y alliez. Vous verrez, on ne peut s'empêcher d'aimer notre peuple. »

Le soir, d'Arrast, le coq et son frère étaient assis autour du feu éteint, au centre de la case que l'ingénieur avait déjà visitée le matin. Le frère n'avait pas paru surpris de le revoir. Il parlait à peine l'espagnol et se bornait la plupart du temps à hocher la tête.[81] Quant au coq, il s'était intéressé aux cathédrales, puis avait longuement disserté sur la soupe aux haricots noirs. Maintenant, le jour était presque tombé et si d'Arrast voyait encore le coq et son frère, il distinguait mal, au fond de la case, les silhouettes accroupies d'une vieille femme et de la jeune fille qui, à nouveau, l'avait servi. En contrebas, on entendait le fleuve monotone.

Le coq se leva et dit: « C'est l'heure. » Ils se levèrent, mais les femmes ne bougèrent pas. Les hommes sortirent seuls. D'Arrast hésita, puis rejoignit les autres. La nuit était maintenant tombée, la pluie avait cessé. Le ciel, d'un noir pâle, semblait encore liquide. Dans son eau transparente et sombre, bas sur l'horizon, des étoiles commençaient de s'allumer. Elles s'éteignaient presque aussitôt, tombaient une à une dans le fleuve, comme si le ciel dégouttait de ses dernières lumières. L'air épais sentait l'eau et la fumée. On entendait aussi la rumeur toute proche de l'énorme forêt, pourtant immobile. Soudain, des tambours et des chants s'élevèrent dans le lointain, d'abord sourds puis distincts, qui se rapprochèrent de plus en plus et qui se turent. On vit peu après apparaître une théorie[82] de filles noires, vêtues de robes blanches en soie grossière, à la taille très basse. Moulé dans une casaque rouge sur laquelle pendait un collier de dents multicolores, un grand noir les suivait et, derrière lui, en désordre, une troupe d'hommes habillés de pyjamas blancs et des musiciens munis de triangles et de tambours larges et courts. Le coq dit qu'il fallait les accompagner.

La case où ils parvinrent en suivant la rive à quelques centaines de mètres des dernières cases, était grande, vide, relativement confortable avec ses murs crépis à l'intérieur. Le sol était en terre battue, le toit de chaume et de roseaux, soutenu par un mât central, les murs nus. Sur un petit autel tapissé de palmes,[83] au fond, et couvert de bougies qui éclairaient à peine la moitié de la salle, on apercevait un superbe chromo où saint Georges, avec des airs séducteurs, prenait avantage d'un dragon moustachu. Sous l'autel, une sorte de niche, garnie de papiers en rocailles, abritait, entre une bougie et une écuelle d'eau, une petite statue de glaise,[84] peinte en rouge, représentant un dieu cornu. Il brandissait, la mine farouche, un couteau démesuré, en papier d'argent.

Le coq conduisit d'Arrast dans un coin où ils restèrent debout, collés contre la paroi,[85] près de la porte. « Comme ça, murmura le coq, on pourra partir sans déranger. » La case, en effet, était pleine d'hommes et de femmes, serrés les uns contre les autres. Déjà la chaleur montait. Les musiciens allèrent s'installer de part et d'autre[86] du petit autel. Les danseurs et les danseuses se séparèrent en deux cercles concentriques, les hommes à l'intérieur. Au centre, vint se placer le chef noir à la casaque rouge. D'Arrast s'adossa à la paroi, en croisant les bras.

Mais le chef, fendant[87] le cercle des danseurs, vint vers eux et, d'un air grave, dit quelques mots au coq. « Décroise les bras, capitaine, dit le coq. Tu te serres, tu empêches l'esprit du saint de descendre. » D'Arrast laissa docilement tomber les bras. Le dos toujours collé à la paroi, il ressemblait lui-même, maintenant, avec ses membres longs et lourds, son grand visage déjà luisant de sueur, à quelque dieu bestial et rassurant. Le grand noir le regarda puis, satisfait, regagna sa place. Aussitôt, d'une voix claironnante, il chanta les premières notes d'un air que tous reprirent en chœur, accompagnés par les tambours. Les cercles se mirent alors à tourner en sens inverse, dans une sorte de danse lourde et appuyée qui ressemblait plutôt à un piétinement,[88] légèrement souligné par la double ondulation des hanches.

La chaleur avait augmenté. Pourtant, les pauses diminuaient peu à peu, les arrêts s'espaçaient et la danse se précipitait. Sans que le rythme des autres se ralentît, sans cesser lui-même de danser, le grand noir fendit à nouveau les cercles pour aller vers l'autel. Il revint avec un verre d'eau et une bougie allumée qu'il ficha en terre,[89] au centre de la case. Il versa l'eau autour de la bougie en deux cercles concentriques, puis, à nouveau dressé, leva vers le toit des yeux fous. Tout son corps tendu, il attendait, immobile. « Saint Georges arrive. Regarde, regarde », souffla le coq dont les yeux s'exorbitaient.

En effet, quelques danseurs présentaient maintenant des airs de transe, mais de transe figée, les mains aux reins, le pas raide, l'œil fixe et atone.[90] D'autres précipitaient leur rythme, se convulsant sur eux-mêmes, et commençaient à pousser des cris inarticulés. Les cris montèrent peu à peu et lorsqu'ils se confondirent dans un hurlement collectif, le chef, les yeux toujours levés, poussa lui-même une longue clameur à peine phrasée, au sommet du souffle,[91] et où les mêmes mots revenaient. « Tu vois, souffla[92] le coq, il dit qu'il est le champ de bataille du dieu. » D'Arrast fut frappé du changement de sa voix et regarda le coq qui, penché en avant, les poings serrés, les yeux fixes, reproduisait sur place le piétinement rythmé des autres. Il s'aperçut alors que lui-même, depuis un moment, sans déplacer les pieds pourtant, dansait de tout son poids.

Mais les tambours tout d'un coup firent rage et subitement le grand diable rouge se déchaîna.[93] L'œil enflammé, les quatre membres tournoyant autour du corps, il se recevait, genou plié, sur chaque jambe, l'une après l'autre, accélérant son rythme à tel point qu'il semblait qu'il dût se démembrer, à la fin. Mais, brusquement, il s'arrêta en plein élan, pour regarder les assistants, d'un air fier et terrible, au milieu du tonnerre des tambours. Aussitôt un danseur surgit[94] d'un coin sombre, s'agenouilla et tendit au possédé un sabre court. Le grand noir prit le sabre sans cesser de regarder autour de lui, puis le fit tournoyer au-dessus de sa tête. Au même instant, d'Arrast aperçut le coq qui dansait au milieu des autres. L'ingénieur ne l'avait pas vu partir.

Dans la lumière rougeoyante,[95] incertaine, une poussière étouffante montait du sol, épaississait encore l'air qui collait à la peau. D'Arrast sentait la fatigue le gagner peu à peu; il respirait de plus en plus mal. Il ne vit même pas comment les danseurs avaient pu se munir des énormes cigares qu'ils fumaient à présent, sans cesser de danser, et dont l'étrange odeur emplissait la case et le grisait[96] un peu. Il vit seulement le coq qui passait près de lui, toujours dansant, et qui tirait lui aussi sur un cigare: « Ne fume pas », dit-il. Le coq grogna, sans cesser de rythmer son pas, fixant le mât central avec l'expression du boxeur sonné,[97] la nuque parcourue par un long et perpétuel frisson. A ses côtés, une noire épaisse, remuant de droite à gauche sa face animale, aboyait sans arrêt. Mais les jeunes négresses, surtout, entraient dans la transe la plus affreuse, les pieds collés au sol et le corps parcouru, des pieds à la tête, de soubresauts de plus en plus violents à mesure qu'ils gagnaient les épaules. Leur tête s'agitait alors d'avant en arrière, littéralement séparée d'un corps décapité. En même temps, tous se mirent à hurler sans discontinuer, d'un long cri collectif et incolore, sans respiration apparente, sans modulations, comme si les corps se nouaient tout entiers,[98] muscles et nerfs, en une seule émission épuisante qui donnait enfin la parole en chacun d'eux à un être jusque-là absolument silencieux. Et sans que le cri cessât, les femmes, une à une, se mirent à tomber.[99] Le chef noir s'agenouillait près de chacune, serrait vite et convulsivement leurs tempes de sa grande main aux muscles noirs. Elles se relevaient alors, chancelantes, rentraient dans la danse et reprenaient leurs cris, d'abord faiblement, puis de plus en plus haut et vite, pour retomber encore, et se relever de nouveau, pour recommencer, et longtemps encore, jusqu'à ce que le cri général faiblît, s'altérât, dégénérât en une sorte de rauque aboiement qui les secouait de son hoquet. D'Arrast, épuisé, les muscles noués par sa longue danse immobile, étouffé par son propre mutisme, se sentit vaciller. La chaleur, la poussière, la fumée des cigares, l'odeur humaine rendaient maintenant l'air tout à fait irrespirable. Il chercha le coq du regard: il avait disparu. D'Arrast se laissa glisser alors le long de la paroi et s'accroupit, retenant une nausée.

Quand il ouvrit les yeux, l'air était toujours aussi étouffant, mais le bruit avait cessé. Les tambours seuls rythmaient une basse continue, sur laquelle dans tous les coins de la case, des groupes, couverts d'étoffes blanchâtres, piétinaient. Mais au centre de la pièce, maintenant débarrassé du verre et de la bougie, un groupe de jeunes filles noires, en état semi-hypnotique, dansait lentement, toujours sur le point de se laisser dépasser par la mesure.[100] Les yeux fermés, droites pourtant, elles se balançaient légèrement d'avant en arrière, sur la pointe de leurs pieds, presque sur place. Deux d'entre elles, obèses, avaient le visage recouvert d'un rideau de raphia. Elles encadraient une autre jeune fille, costumée celle-là, grande, mince, que d'Arrast reconnut soudain comme la fille de son hôte. Vêtue d'une robe verte, elle portait un chapeau de chasseresse en gaze bleue, relevé sur le devant, garni de plumes mousquetaires, et tenait à la main un arc vert et jaune, muni de sa flèche, au bout de laquelle était embroché[101] un oiseau multicolore. Sur son corps gracile, sa jolie tête oscillait lentement, un peu renversée, et sur le visage endormi se reflétait une mélancolie égale et innocente. Aux arrêts de la musique, elle chancelait, somnolente. Seul, le rythme renforcé des tambours lui rendait une sorte de tuteur[102] invisible autour duquel elle enroulait ses molles arabesques jusqu'à ce que, de nouveau arrêtée en même temps que la musique, chancelant au bord de l'équilibre, elle poussât un étrange cri d'oiseau, perçant et pourtant mélodieux.

D'Arrast, fasciné par cette danse ralentie, contemplait la Diane noire lorsque le coq surgit devant lui, son visage lisse maintenant décomposé. La bonté avait disparu de ses yeux qui ne reflétaient qu'une sorte d'avidité inconnue. Sans bienveillance, comme s'il parlait à un étranger: « Il est tard, capitaine, dit-il. Ils vont danser toute la nuit, mais ils ne veulent pas que tu restes maintenant. » La tête lourde, d'Arrast se leva et suivit le coq qui gagnait la porte en lon-

geant la paroi. Sur le seuil, le coq s'effaça, tenant la porte
de bambous, et d'Arrast sortit. Il se retourna et regarda le
coq qui n'avait pas bougé. « Viens. Tout à l'heure, il faudra
porter la pierre.

— Je reste, dit le coq d'un air fermé.

— Et ta promesse ? »

Le coq sans répondre poussa peu à peu la porte que
d'Arrast retenait d'une seule main. Ils restèrent ainsi une
seconde, et d'Arrast céda, haussant les épaules. Il s'éloigna.

La nuit était pleine d'odeurs fraîches et aromatiques. Au-
dessus de la forêt, les rares étoiles du ciel austral, estompées[103] par une brume invisible, luisaient faiblement. L'air
humide était lourd. Pourtant, il semblait d'une délicieuse
fraîcheur au sortir de la case. D'Arrast remontait la pente
glissante, gagnait les premières cases, trébuchait comme un
homme ivre dans les chemins troués. La forêt grondait un
peu, toute proche. Le bruit du fleuve grandissait, le continent tout entier émergeait dans la nuit et l'écœurement[104]
envahissait d'Arrast. Il lui semblait qu'il aurait voulu vomir
ce pays tout entier, la tristesse de ses grands espaces, la
lumière glauque des forêts, et le clapotis[105] nocturne de ses
grands fleuves déserts. Cette terre était trop grande, le sang
et les saisons s'y confondaient, le temps se liquéfiait. La vie
ici était à ras de terre et, pour s'y intégrer, il fallait se
coucher et dormir, pendant des années, à même[106] le sol
boueux ou desséché. Là-bas, en Europe, c'était la honte et
la colère. Ici, l'exil ou la solitude, au milieu de ces fous
languissants et trépidants, qui dansaient pour mourir. Mais,
à travers la nuit humide, pleine d'odeurs végétales, l'étrange
cri d'oiseau blessé, poussé par la belle endormie, lui parvint
encore.

Quand d'Arrast, la tête barrée d'une épaisse migraine,
s'était réveillé après un mauvais sommeil, une chaleur
humide écrasait la ville et la forêt immobile. Il attendait
à présent sous le porche de l'hôpital, regardant sa montre
arrêtée, incertain de l'heure, étonné de ce grand jour et du
silence qui montait de la ville. Le ciel, d'un bleu presque
franc, pesait au ras des premiers toits éteints. Des urubus

jaunâtres dormaient, figés par la chaleur, sur la maison qui faisait face à l'hôpital. L'un d'eux s'ébroua[107] tout d'un coup, ouvrit le bec, prit ostensiblement ses dispositions pour s'envoler, claqua deux fois ses ailes poussiéreuses contre son corps, s'éleva de quelques centimètres au-dessus du toit, et retomba pour s'endormir presque aussitôt.

L'ingénieur descendit vers la ville. La place principale était déserte, comme les rues qu'il venait de parcourir. Au loin, et de chaque côté du fleuve, une brume basse flottait sur la forêt. La chaleur tombait verticalement et d'Arrast chercha un coin d'ombre pour s'abriter. Il vit alors, sous l'auvent d'une des maisons, un petit homme qui lui faisait signe. De plus près, il reconnut Socrate.

« Alors, monsieur d'Arrast, tu aimes la cérémonie? »

D'Arrast dit qu'il faisait trop chaud dans la case et qu'il préférait le ciel et la nuit.

« Oui, dit Socrate, chez toi, c'est la messe seulement. Personne ne danse. »

Il se frottait les mains, sautait sur un pied, tournait sur lui-même, riait à perdre haleine.

« Pas possibles, ils sont pas possibles. »

Puis il regarda d'Arrast avec curiosité:

« Et toi, tu vas à la messe?

— Non.

— Alors, où tu vas?[108]

— Nulle part. Je ne sais pas. »

Socrate riait encore.

« Pas possible! Un seigneur sans église, sans rien! »

D'Arrast riait aussi:

« Oui, tu vois, je n'ai pas trouvé ma place. Alors, je suis parti.

— Reste avec nous, monsieur d'Arrast, je t'aime.

— Je voudrais bien, Socrate, mais je ne sais pas danser. »

Leurs rires résonnaient dans le silence de la ville déserte.

« Ah, dit Socrate, j'oublie. Le maire veut te voir. Il déjeune au club. » Et sans crier gare,[109] il partit dans la direction de l'hôpital. « Où vas-tu? » cria d'Arrast. Socrate imita un ronflement: « Dormir. Tout à l'heure la procession. » Et courant à moitié, il reprit ses ronflements.

Le maire voulait seulement donner à d'Arrast une place d'honneur pour voir la procession. Il l'expliqua à l'ingénieur en lui faisant partager un plat de viande et de riz propre à miraculer[110] un paralytique. On s'installerait d'abord dans la maison du juge, sur un balcon, devant l'église, pour voir sortir le cortège. On irait ensuite à la mairie, dans la grande rue qui menait à la place de l'église et que les pénitents emprunteraient[111] au retour. Le juge et le chef de police accompagneraient d'Arrast, le maire étant tenu de participer à la cérémonie. Le chef de police était en effet dans la salle du club, et tournait sans trêve autour de d'Arrast, un infatigable sourire aux lèvres, lui prodiguant[112] des discours incompréhensibles, mais évidemment affectueux. Lorsque d'Arrast descendit, le chef de police se précipita pour lui ouvrir le chemin, tenant toutes les portes ouvertes devant lui.

Sous le soleil massif, dans la ville toujours vide, les deux hommes se dirigeaient vers la maison du juge. Seuls, leurs pas résonnaient dans le silence. Mais, soudain, un pétard éclata dans une rue proche et fit s'envoler sur toutes les maisons, en gerbes[113] lourdes et embarrassées, les urubus au cou pelé. Presque aussitôt des dizaines de pétards éclatèrent dans toutes les directions, les portes s'ouvrirent et les gens commencèrent de sortir des maisons pour remplir les rues étroites.

Le juge exprima à d'Arrast la fierté qui était la sienne de l'accueillir dans son indigne maison et lui fit gravir un étage d'un bel escalier baroque peint à la chaux bleue. Sur le palier, au passage de d'Arrast, des portes s'ouvrirent d'où surgissaient des têtes brunes d'enfants qui disparaissaient ensuite avec des rires étouffés. La pièce d'honneur, belle d'architecture, ne contenait que des meubles de rotin[114] et de grandes cages d'oiseaux au jacassement étourdissant. Le balcon où ils s'installèrent donnait sur la petite place devant l'église. La foule commençait maintenant de la remplir, étrangement silencieuse, immobile sous la chaleur qui descendait du ciel en flots presque visibles. Seuls, des enfants couraient autour de la place s'arrêtant brusquement pour allumer les pétards dont les détonations se succédaient. Vue du balcon, l'église, avec ses murs crépis, sa dizaine de marches peintes à la chaux bleue, ses deux tours bleu et or, paraissait plus petite.

Tout d'un coup, des orgues éclatèrent à l'intérieur de l'église. La foule, tournée vers le porche, se rangea sur les côtés de la place. Les hommes se découvrirent, les femmes s'agenouillèrent. Les orgues lointaines jouèrent, longuement, des sortes de marches. Puis un étrange bruit d'élytres[115] vint de la forêt. Un minuscule avion aux ailes transparentes et à la frêle carcasse, insolite dans ce monde sans âge, surgit au-dessus des arbres, descendit un peu vers la place, et passa, avec un grondement de grosse crécelle,[116] au-dessus des têtes levées vers lui. L'avion vira ensuite et s'éloigna vers l'estuaire.

Mais, dans l'ombre de l'église, un obscur remue-ménage attirait de nouveau l'attention. Les orgues s'étaient tues, relayées[117] maintenant par des cuivres et des tambours, invisibles sous le porche. Des pénitents, recouverts de surplis noirs, sortirent un à un de l'église, se groupèrent sur le parvis,[118] puis commencèrent de descendre les marches. Derrière eux venaient des pénitents blancs portant des bannières rouge et bleu, puis une petite troupe de garçons costumés en anges, des confréries d'enfants de Marie, aux petits visages noirs et graves, et enfin, sur une châsse[119] multicolore, portée par des notables suants dans leurs complets sombres, l'effigie du bon Jésus lui-même, roseau en main, la tête couverte d'épines, saignant et chancelant au-dessus de la foule qui garnissait les degrés du parvis.

Quand la châsse fut arrivée au bas des marches, il y eut un temps d'arrêt pendant lequel les pénitents essayèrent de se ranger dans un semblant d'ordre. C'est alors que d'Arrast vit le coq. Il venait de déboucher sur le parvis, torse nu, et portait sur sa tête barbue un énorme bloc rectangulaire qui reposait sur une plaque de liège[120] à même le crâne. Il descendit d'un pas ferme les marches de l'église, la pierre exactement équilibrée dans l'arceau[121] de ses bras courts et musclés. Dès qu'il fut parvenu derrière la châsse, la procession s'ébranla.[122] Du porche surgirent alors les musiciens, vêtus de vestes aux couleurs vives et s'époumonant dans des cuivres enrubannés.[123] Aux accents d'un pas redoublé, les pénitents accélérèrent leur allure et gagnèrent l'une des rues qui donnaient sur la place. Quand la châsse eut disparu à leur suite, on ne vit plus le coq et les derniers musiciens. Derrière eux, la foule s'ébranla, au milieu des détonations, tandis que l'avion, dans un grand ferraillement[124] de pistons, revenait au-dessus des derniers groupes. D'Arrast regardait seulement le coq qui disparaissait maintenant dans la rue et dont il lui semblait soudain que les épaules fléchissaient. Mais à cette distance, il voyait mal.

Par les rues vides, entre les magasins fermés et les portes closes, le juge, le chef de police et d'Arrast gagnèrent alors la mairie. A mesure qu'ils s'éloignaient de la fanfare et des détonations, le silence reprenait possession de la ville et, déjà, quelques urubus revenaient prendre sur les toits la place qu'ils semblaient occuper depuis toujours. La mairie donnait sur une rue étroite, mais longue, qui menait d'un des quartiers extérieurs à la place de l'église. Elle était vide pour le moment. Du balcon de la mairie, à perte de vue,[125] on n'apercevait qu'une chaussée défoncée, où la pluie récente avait laissé quelques flaques. Le soleil, maintenant un peu descendu, rongeait encore, de l'autre côté de la rue, les façades aveugles des maisons.

Ils attendirent longtemps, si longtemps que d'Arrast, à force de regarder la réverbération du soleil sur le mur d'en face, sentit à nouveau revenir sa fatigue et son vertige. La rue vide, aux maisons désertes, l'attirait et l'écœurait à la fois. A nouveau, il voulait fuir ce pays, il pensait en même temps à cette pierre énorme, il aurait voulu que cette épreuve fût finie. Il allait proposer de descendre pour aller aux nouvelles lorsque les cloches de l'église se mirent à sonner à toute volée. Au même instant, à l'autre extrémité de la rue, sur leur gauche, un tumulte éclata et une foule en ébullition[126] apparut. De loin, on la voyait agglutinée[127] autour de la châsse, pèlerins et pénitents mêlés, et ils avançaient, au milieu des pétards et des hurlements de joie, le long de la rue étroite. En quelques secondes, ils la remplirent jusqu'aux bords, avançant vers la mairie, dans un désordre indescriptible, les âges, les races et les costumes fondus en une masse bariolée, couverte d'yeux et de bouches vociférantes, et d'où sortaient, comme des lances, une armée

de cierges dont la flamme s'évaporait dans la lumière ardente du jour. Mais quand ils furent proches et que la foule,
sous le balcon, sembla monter le long des parois, tant elle
était dense, d'Arrast vit que le coq n'était pas là.

D'un seul mouvement, sans s'excuser, il quitta le balcon
et la pièce, dévala[128] l'escalier et se trouva dans la rue, sous
le tonnerre des cloches et des pétards. Là, il dut lutter contre
la foule joyeuse, les porteurs de cierges, les pénitents offusqués.[129] Mais irrésistiblement, remontant[130] de tout son poids
la marée humaine, il s'ouvrit un chemin, d'un mouvement
si emporté, qu'il chancela et faillit tomber lorsqu'il se retrouva libre, derrière la foule, à l'extrémité de la rue. Collé
contre le mur brûlant, il attendit que la respiration lui revînt.
Puis il reprit sa marche. Au même moment, un groupe
d'hommes déboucha dans la rue. Les premiers marchaient
à reculons, et d'Arrast vit qu'ils entouraient le coq.

Celui-ci était visiblement exténué.[131] Il s'arrêtait, puis,
courbé sous l'énorme pierre, il courait un peu, du pas pressé
des débardeurs et des coolies, le petit trot de la misère, rapide, le pied frappant le sol de toute sa plante.[132] Autour de
lui, des pénitents aux surplis salis de cire fondue et de
poussière l'encourageaient quand il s'arrêtait. A sa gauche,
son frère marchait ou courait en silence. Il sembla à d'Arrast
qu'ils mettaient un temps interminable à parcourir l'espace
qui les séparait de lui. A peu près à sa hauteur,[133] le coq
s'arrêta de nouveau et jeta autour de lui des regards éteints.
Quand il vit d'Arrast, sans paraître pourtant le reconnaître,
il s'immobilisa, tourné vers lui. Une sueur huileuse et sale
couvrait son visage maintenant gris, sa barbe était pleine
de filets de salive, une mousse brune et sèche cimentait ses
lèvres. Il essaya de sourire. Mais, immobile sous sa charge,
il tremblait de tout son corps, sauf à la hauteur des épaules
où les muscles étaient visiblement noués dans une sorte de
crampe. Le frère, qui avait reconnu d'Arrast, lui dit seulement: « Il est déjà tombé. » Et Socrate, surgi il ne savait
d'où,[134] vint lui glisser à l'oreille: « Trop danser, monsieur
d'Arrast, toute la nuit. Il est fatigué. »

Le coq avança de nouveau, de son trot saccadé,[135] non
comme quelqu'un qui veut progresser mais comme s'il fuyait

la charge qui l'écrasait, comme s'il espérait l'alléger par le mouvement. D'Arrast se trouva, sans qu'il sût comment, à sa droite. Il posa sur le dos du coq une main devenue légère et marcha près de lui, à petits pas pressés et pesants. A l'autre extrémité de la rue, la châsse avait disparu, et la foule, qui, sans doute, emplissait maintenant la place, ne semblait plus avancer. Pendant quelques secondes, le coq, encadré[136] par son frère et d'Arrast, gagna du terrain. Bientôt, une vingtaine de mètres seulement le séparèrent du groupe qui s'était massé devant la mairie pour le voir passer. A nouveau, pourtant, il s'arrêta. La main de d'Arrast se fit plus lourde. « Allez, coq, dit-il, encore un peu. » L'autre tremblait, la salive se remettait à couler de sa bouche tandis que, sur tout son corps, la sueur jaillissait littéralement. Il prit une respiration qu'il voulait profonde et s'arrêta court. Il s'ébranla encore, fit trois pas, vacilla. Et soudain la pierre glissa sur son épaule, qu'elle entailla,[137] puis en avant jusqu'à terre, tandis que le coq, déséquilibré, s'écroulait sur le côté. Ceux qui le précédaient en l'encourageant sautèrent en arrière avec de grands cris, l'un d'eux se saisit de la plaque de liège pendant que les autres empoignaient la pierre pour en charger à nouveau le coq.

D'Arrast, penché sur celui-ci, nettoyait de sa main l'épaule souillée de sang et de poussière, pendant que le petit homme, la face collée à terre, haletait. Il n'entendait rien, ne bougeait plus. Sa bouche s'ouvrait avidement sur chaque respiration, comme si elle était la dernière. D'Arrast le prit à bras-le-corps[138] et le souleva aussi facilement que s'il s'agissait d'un enfant. Il le tenait debout, serré contre lui. Penché de toute sa taille, il lui parlait dans le visage, comme pour lui insuffler sa force.[139] L'autre, au bout d'un moment, sanglant et terreux,[140] se détacha de lui, une expression hagarde sur le visage. Chancelant, il se dirigea de nouveau vers la pierre que les autres soulevaient un peu. Mais il s'arrêta; il regardait la pierre d'un regard vide, et secouait la tête. Puis il laissa tomber ses bras le long de son corps et se tourna vers d'Arrast. D'énormes larmes coulaient silencieusement sur son visage ruiné. Il voulait parler, il parlait, mais sa bouche formait à peine les syllabes. « J'ai promis »,

disait-il. Et puis: « Ah! capitaine. Ah! capitaine! » et les
larmes noyèrent sa voix. Son frère surgit dans son dos,
l'étreignit,[141] et le coq, en pleurant, se laissa aller contre
lui, vaincu, la tête renversée.

D'Arrast le regardait, sans trouver ses mots. Il se tourna
vers la foule, au loin, qui criait à nouveau. Soudain, il ar-
racha la plaque de liège des mains qui la tenaient et marcha
vers la pierre. Il fit signe aux autres de l'élever et la chargea
presque sans effort. Légèrement tassé sous le poids de la
pierre,[142] les épaules ramassées, soufflant un peu, il regardait à ses pieds, écoutant les sanglots du coq. Puis il s'ébranla
à son tour d'un pas puissant, parcourut sans faiblir l'espace
qui le séparait de la foule, à l'extrémité de la rue, et fendit
avec décision[143] les premiers rangs qui s'écartèrent devant
lui. Il entra sur la place, dans le vacarme[144] des cloches et
des détonations, mais entre deux haies de spectateurs qui
le regardaient avec étonnement, soudain silencieux. Il avançait, du même pas emporté,[145] et la foule lui ouvrait un
chemin jusqu'à l'église. Malgré le poids qui commençait
de lui broyer[146] la tête et la nuque, il vit l'église et la châsse
qui semblait l'attendre sur le parvis. Il marchait vers elle et
avait déjà dépassé le centre de la place quand brutalement,
sans savoir pourquoi, il obliqua vers la gauche,[147] et se dé-
tourna du chemin de l'église, obligeant les pèlerins à lui faire
face. Derrière lui, il entendait des pas précipités. Devant
lui, s'ouvraient de toutes parts des bouches. Il ne comprenait pas ce qu'elles lui criaient, bien qu'il lui semblât reconnaître le mot portugais qu'on lui lançait sans arrêt. Soudain,
Socrate apparut devant lui, roulant des yeux effarés, parlant
sans suite[148] et lui montrant, derrière lui, le chemin de
l'église. « A l'église, à l'église », c'était là ce que criaient
Socrate et la foule. D'Arrast continua pourtant sur sa lancée.[149] Et Socrate s'écarta, les bras comiquement levés au
ciel, pendant que la foule peu à peu se taisait. Quand d'Arrast entra dans la première rue, qu'il avait déjà prise avec
le coq, et dont il savait qu'elle menait aux quartiers du
fleuve, la place n'était plus qu'une rumeur confuse derrière lui.

La pierre, maintenant, pesait douloureusement sur son

crâne et il avait besoin de toute la force de ses grands bras
pour l'alléger. Ses épaules se nouaient déjà quand il atteignit les premières rues, dont la pente était glissante. Il s'arrêta, tendit l'oreille.[150] Il était seul. Il assura[151] la pierre sur
son support de liège et descendit d'un pas prudent, mais
encore ferme, jusqu'au quartier des cases. Quand il y arriva,
la respiration commençait de lui manquer, ses bras tremblaient autour de la pierre. Il pressa le pas,[152] parvint enfin
sur la petite place où se dressait la case du coq, courut à
elle, ouvrit la porte d'un coup de pied et, d'un seul mouvement, jeta la pierre au centre de la pièce, sur le feu qui
rougeoyait encore. Et là, redressant toute sa taille, énorme
soudain, aspirant à goulées désespérées[153] l'odeur de misère
et de cendres qu'il reconnaissait, il écouta monter en lui le
flot d'une joie obscure et haletante qu'il ne pouvait pas
nommer.

   Quand les habitants de la case arrivèrent, ils trouvèrent
d'Arrast debout, adossé au mur du fond, les yeux fermés.
Au centre de la pièce, à la place du foyer, la pierre était
à demi enfouie, recouverte de cendres et de terre. Ils se
tenaient sur le seuil[154] sans avancer et regardaient d'Arrast
en silence comme s'ils l'interrogeaient. Mais il se taisait.
Alors, le frère conduisit près de la pierre le coq qui se
laissa tomber à terre. Il s'assit, lui aussi, faisant un signe
aux autres. La vieille femme le rejoignit, puis la jeune fille
de la nuit, mais personne ne regardait d'Arrast. Ils étaient
accroupis[155] en rond autour de la pierre, silencieux. Seule,
la rumeur du fleuve montait jusqu'à eux à travers l'air lourd.
D'Arrast, debout dans l'ombre, écoutait, sans rien voir, et
le bruit des eaux l'emplissait d'un bonheur tumultueux. Les
yeux fermés, il saluait joyeusement sa propre force, il saluait, une fois de plus, la vie qui recommençait. Au même
instant, une détonation éclata qui semblait toute proche. Le
frère s'écarta un peu du coq et se tournant à demi vers
d'Arrast, sans le regarder, lui montra la place vide: « Assieds-toi avec nous. »

L'Artiste et son temps

"*L'Artiste et son temps*" is a speech Camus gave before the Associazione Culturale Italiana, *the opening lecture of their 1954–1955 season. Camus had discussed the role and responsibility of the writer earlier in* Le Mythe de Sisyphe, L'Homme révolté, *and in some of the articles of* Actuelles. *He was again to do so in his Nobel Prize acceptance speech as well as in the 1957 preface to* L'Envers et l'endroit. *Nowhere, however, is his mature point of view more fully presented than in this lecture. Here he defines the two contradictory forces which tear at the contemporary artist's existence: his sense of solidarity with the suffering of the great mass of human beings, whose presence is much closer to us now than it was in the past; the exigencies of art which demand of the artist intense concentration, a distance from events, a certain peace of mind. The work of art for Camus is an act of commitment and communication, a responsible deeply personal act which must illuminate the truth of existence in all its complexity, eluding nothing, neither the difficulty and suffering nor the beauty and joy of life.*

The writer's task, in Camus's eyes, and in the eyes of many contemporary writers, is to bring to light, without evading the truth, that part of our common experience which they can communicate, which, like d'Arrast's gesture, creates a community based on a mutual understanding. Hence the tremendous effort the writer must make to adhere in language and expression to the strictest honesty, to his "commitment" as artist.

Il y a quelques années un philosophe français de mes amis eut l'idée d'écrire sur le sage chinois Lao-Tseu[1] et sur quelques points délicats de sa morale de l'abstention. Il pensait ainsi faire bénéficier quelques rares spécialistes de ses longues et patientes réflexions sur le sujet. Cette modestie ne trouva pas sa récompense. Notre philosophe fut tout surpris en effet de se voir sévèrement réprimandé par des critiques, étrangers à la philosophie en général et à Lao-Tseu en particulier, qui lui affirmèrent vertement[2] que parler du philosophe de l'indifférence au moment où le peuple chinois se libérait de sa servitude, c'était être complice du capitalisme et prêcher la soumission aux masses asiatiques de 1950. Naturellement, ce n'était pas du tout l'intention de mon ami, bien trop discret pour rien prêcher à personne, et qui mourrait de confusion avant de faire l'éloge d'aucune sorte de servitude.[3] Mais, selon nos critiques, celui qui expose une philosophie de l'indifférence sans aussitôt la réfuter laisse entendre,[4] au moins indirectement, que l'action frénétique peut ne pas être la seule voie du bonheur et de la liberté. Il se met ainsi en travers[5] du mouvement de l'histoire qui est supposé, comme tout le prouve autour de nous, mener l'humanité vers des délices définitives par des actions sans cesse renouvelées. Il favorise donc, par sa coupable légèreté, les oppresseurs du monde entier qui ont intérêt à mener l'histoire sur une voie de garage.[6] Conclusion: on ne peut traiter aujourd'hui de Lao-Tseu qu'à la condition de démontrer qu'il a tort. En écrivant sur l'abstention, mon ami s'était lancé sans le savoir dans l'action, et même, on le lui fit bien voir, dans la mauvaise action.

Un tel exemple n'est pas exceptionnel dans notre société. En vérité, l'écrivain ne peut espérer se tenir à l'écart[7] pour poursuivre les réflexions et les images qui lui sont chères. Jusqu'à présent, et tant bien que mal, l'abstention avait toujours été possible dans l'histoire. Celui qui n'approuvait pas, il pouvait souvent se taire, ou parler d'autre chose. Aujourd'hui, tout est changé, et le silence même prend un sens redoutable. A partir du moment où l'abstention elle-même est considérée comme un choix, puni ou loué comme tel, l'artiste, qu'il le veuille ou non, est embarqué. Embarqué

me paraît ici plus juste qu'engagé. Il ne s'agit pas en effet
pour l'artiste d'un engagement volontaire, mais plutôt d'un
service militaire obligatoire. Tout artiste aujourd'hui est
embarqué dans la galère de son temps et il doit s'y résigner,
même s'il juge que cette galère sent le hareng, que les
gueules de garde-chiourme y sont vraiment trop nombreuses
et que, de surcroît, le cap est mal pris.[8] Nous sommes en
pleine mer et l'artiste, comme les autres, doit ramer à son
tour, sans mourir s'il le peut, c'est-à-dire en continuant de
vivre et de créer.

A vrai dire, ce n'est pas facile et je comprends que les
artistes regrettent leur ancien confort. Le changement est
un peu brutal. Certes, il y a toujours eu dans l'arène de
l'histoire le martyr et le lion. Le premier se soutenait de
consolations éternelles, le second de viande historique bien
saignante. Mais l'artiste jusqu'ici était sur les gradins.[9] Il
chantait pour rien, pour lui-même, ou, dans le meilleur des
cas, pour encourager le martyr et distraire un peu le lion
de son appétit. Maintenant, au contraire, l'artiste se trouve
dans l'arène, et c'est une différence essentielle, car il risque
quelque chose. Forcément, sa voix n'est plus la même, elle
est beaucoup moins assurée.

On voit bien, sans doute, tout ce que l'art peut perdre à
cette constante obligation. Et d'abord l'aisance, et cette
divine liberté qui respire dans l'œuvre de Mozart. On
comprend mieux l'air hagard et buté de nos œuvres d'art,
leur front soucieux et leurs débâcles soudaines. On s'explique que nous ayions ainsi plus de journalistes que d'écrivains, plus de boy-scouts de la peinture que de Van Gogh
et qu'enfin la bibliothèque rose ou le roman noir aient pris
la place de *La guerre et la paix* ou de *La Chartreuse de
Parme*.[10] Oui, on s'explique tout cela et on peut le regretter.
On peut toujours opposer à cet état de choses la lamentation humaniste, être ce que Stepan Trophimovitch dans
Les Possédés,[11] veut rester à toute force: le reproche incarné.
On peut aussi avoir, comme le même personnage, des accès
de tristesse civique. Mais il faut bien dire que cette tristesse
ne change rien à la réalité. Il vaut mieux selon moi faire
sa part à l'époque, puisqu'elle la réclame si fort,[12] et re-

connaître tranquillement que le temps des chers maîtres, des artistes à camélias et des génies montés sur fauteuil est terminé. Créer aujourd'hui, c'est créer dangereusement. Toute publication est un acte et cet acte expose aux passions d'un siècle qui ne pardonne rien. La question n'est donc pas de savoir si cela est ou n'est pas dommageable à l'art. La question, pour ceux qui ne peuvent vivre sans l'art et ce qu'il signifie, est seulement de savoir comment perpétuer l'art dans un monde qui le menace et comment, parmi les polices de tant d'idéologies (que d'églises, quelle solitude!) l'étrange liberté de la création peut rester possible. C'est en tout cas la question que je voudrais aborder ici et, je veux le souligner, j'en parlerai d'abord et surtout en écrivain, même lorsque je me référerai à d'autres arts.

Cette question ne peut être examinée utilement si l'on se borne à affirmer que l'art est menacé par les puissances d'Etat. Dans ce cas, en effet, le problème serait simple: l'artiste se bat ou capitule. Le problème est plus complexe, plus mortel aussi, dès l'instant où l'on s'aperçoit que c'est au dedans de l'artiste lui-même que se livre le combat. La haine de l'art dont notre société offre de si beaux exemples n'a tant d'efficacité aujourd'hui que parce qu'elle est entretenue par les artistes eux-mêmes. Sur dix manuscrits par exemple que je lis à Paris parce qu'on les confie à ma courtoisie, cinq au moins parlent avec mépris de ceux que les auteurs de ces livres appellent les intellectuels. Proportion énorme et qui donnerait à penser qu'en Europe au moins la moitié des intellectuels sont dégoûtés d'eux-mêmes. On se rassure, il est vrai, et définitivement, en considérant que plus ils sont dégoûtés, plus ils écrivent. Il n'empêche que[13] leur réaction est significative. Le doute des artistes qui nous ont précédé touchait à leur propre talent. Celui des artistes d'aujourd'hui touche à la nécessité de leur art, donc à leur existence même. Racine en 1954 s'excuserait d'écrire *Bérénice* au lieu de combattre pour la défense de l'édit de Nantes.[14]

Cette radicale mise en question de l'art par l'artiste a beaucoup de raisons, dont il ne faut retenir que les plus hautes. Elle s'explique, dans le meilleur des cas, par l'impression que peut avoir l'artiste d'aujourd'hui de mentir ou de parler pour rien, s'il ne tient pas compte des misères de l'histoire. Ce qui caractérise notre temps, en effet, c'est l'irruption des masses et de leur condition misérable devant la sensibilité contemporaine. On sait qu'elles existent, alors qu'on avait tendance à l'oublier. Et si on le sait, ce n'est pas que les élites, artistiques ou autres, soient devenues meilleures, non, c'est que les masses sont devenues plus fortes et empêchent qu'on les oublie. C'est aussi peut-être que l'intelligentsia européenne, dans la mesure où elle s'est détournée de toute consolation éternelle, se voit contrainte, sous peine de nihilisme absolu, à réaliser le bonheur sur terre. Si nous n'avons que cette terre, la justice prend la place de la charité et celui qui parlait pour lui seul ou à Dieu se voit soudain contraint de parler pour tous ou de ne rien dire, ou encore, s'il parle cependant, de mentir à ce qu'il est et à ce qu'il croit.

Quelles que soient les causes de ce désarroi, elles concourent en tout cas au même but:[15] décourager la création libre en s'attaquant à son principe essentiel qui est la foi du créateur en lui-même. « L'obéissance d'un homme à son propre génie, a dit magnifiquement Emerson, c'est la foi par excellence ». Et un autre poète américain du 19ème siècle ajoutait: « Tant qu'un homme reste fidèle à lui-même, tout abonde dans son sens, gouvernement, société, le soleil même, la lune et les étoiles ».[16] Ce prodigieux optimisme semble mort aujourd'hui. Toute société sans doute, et particulièrement la littéraire et l'artistique, vise à faire honte à ses membres de leurs vertus extrêmes. Mais en 1954, cette mauvaise conscience est de règle.[17] L'artiste, dans la plupart des cas, a honte de lui-même et de ses privilèges, s'il en a. Il doit répondre avant toute chose à la question qu'il se pose: l'art est-il aujourd'hui un luxe mensonger? S'il l'est, alors il faut renoncer à lui et même le maudire, comme l'ont fait Tolstoï et, avant lui, Rousseau, St. Just, les nihilistes russes et en général tous les réformateurs révolutionnaires.[18] L'artiste dès lors acceptera seulement ce que les saint-simoniens appellèrent l'art socialement utile et que nous appelons plus brutalement l'art dirigé.[19] Une telle conclusion, déjà acceptée en apparence par une partie du monde, mesure à elle seule la gravité de la question que nous allons nous poser.

La première réponse honnête que l'on puisse faire est celle-ci: il arrive en effet que l'art soit un luxe mensonger. Nous connaissons bien en France, par exemple, cette littérature qui n'est qu'une branche de nos articles de Paris et que nous exportons en même temps que nos parfums et nos modèles de grande couture. Sur la dunette des galères, on peut, nous le savons, chanter les constellations pendant que les forçats rament et s'exténuent dans la cale.[20] On peut aussi, cela se voit tous les jours, faire de l'art avec la conversation mondaine qui se poursuit sur les gradins de l'arène pendant que la victime craque sous la dent du lion. Et il est bien difficile d'objecter quelque chose à cet art qui a connu de grandes réussites dans le passé. Sinon ceci que les choses ont un peu changé, et qu'en particulier le nombre des forçats et des martyrs a prodigieusement augmenté sur la surface du globe. Devant tant de misère, cet art s'il veut continuer d'être un luxe, doit accepter aujourd'hui d'être aussi un mensonge. Son chant sera toujours le même, mais ses paroles seront, la plupart du temps, vides de sens.

I. — De quoi parlerait-il en effet, aujourd'hui? S'il se conforme à ce que demande notre société dans sa majorité, il sera divertissement sans portée.[21] S'il la refuse aveuglément, il n'exprimera rien d'autre qu'un refus. Ce double nihilisme a affecté une grande partie de la production contemporaine qui est celle d'amuseurs ou de grammairiens de la forme, mais qui, dans les deux cas, aboutit à un art coupé de la réalité vivante. Nous vivons dans une société marchande qui n'est même pas la société de l'argent (l'argent ou l'or peuvent susciter des passions charnelles) mais celle des symboles abstraits de l'argent. La société des marchands peut se définir comme une société où les choses disparaissent au profit des signes. Quand une classe dirigeante mesure ses fortunes non plus à l'arpent de terre ni au lingot d'or, mais au nombre de chiffres correspondant idéalement à un certain nombre d'opérations d'échange,[22] elle se voue du même coup à mettre une certaine sorte de mystification au centre même de son expérience et de son univers. Une société fondée sur des signes est dans son essence formelle et artificielle où la vérité charnelle de l'homme se trouve constamment mystifiée. On ne s'étonnera pas alors que cette société ait choisi, pour en faire sa religion, une morale de principes formels, et qu'elle écrive les mots de liberté et d'égalité aussi bien sur ses prisons que sur ses temples financiers. La valeur la plus calomniée aujourd'hui est certainement la valeur de liberté. De grands esprits (j'ai toujours pensé qu'il y avait deux sortes d'intelligence, l'intelligence intelligente et l'intelligence bête) mettent en doctrine qu'elle n'est rien qu'un obstacle sur le chemin du vrai progrès. Mais des sottises si solennelles n'ont été possibles que parce que pendant cent ans la société marchande a fait de la liberté un usage exclusif et unilatéral, l'a considérée comme un droit plutôt que comme un devoir et n'a pas craint de placer aussi souvent qu'elle l'a pu une liberté de principe au service d'une oppression de fait. Dès lors, quoi de surprenant si cette société n'a pas demandé à l'art d'être un instrument de libération, mais un exercice sans grande conséquence, un divertissement pour elle, d'abord, et, dans certains cas, pour ceux qui travaillent et qui peinent. Tout un beau monde où l'on avait surtout des peines d'argent et seulement des ennuis de cœur s'est ainsi satisfait pendant des dizaines d'années de ses romanciers mondains et de l'art le plus futile qui soit, celui à propos duquel Oscar Wilde,[23] songeant à lui-même avant qu'il ait connu la prison, disait que le vice suprême est d'être superficiel.

Les fabricants d'art (je n'ai pas encore dit les artistes) de l'Europe bourgeoise, autour de 1900, ont accepté l'irresponsabilité parce que la responsabilité supposait une rupture épuisante avec leur société (ceux qui ont vraiment rompu s'appelaient Rimbaud, Nietzsche, Nerval et l'on connaît le prix qu'ils ont payé).[24] C'est de cette époque que date la théorie de l'art pour l'art qui n'est que la revendication de cette irresponsabilité et en même temps la résignation inavouée à une autre sorte de responsabilité. L'art pour l'art,

le divertissement d'un artiste solitaire est bien justement l'art
artificiel d'une société factice. Son aboutissement logique,
c'est l'art des salons qui resplendit dans notre théâtre de
boulevard et dans le style de nos bouches de métro,[25] ou
l'art purement formel qui se nourrit de préciosités et d'abstractions et qui finit par la destruction de toute réalité. Quelques œuvres enchantent ainsi quelques hommes tandis que
beaucoup de grossières inventions en corrompent beaucoup
d'autres. Finalement, l'art se constitue[26] en dehors de la
société et se coupe de toutes racines vivantes. Peu à peu,
et selon la loi d'une société composée d'intermédiaires, l'artiste est seul ou du moins, n'est plus connu de sa nation
que par l'intermédiaire de la grande presse ou de la radio
qui en donnera une idée commode et simplifiée. Dans notre
société, la critique est au créateur ce que le marchand est
au producteur. L'âge marchand voit ainsi la multiplication
asphyxiante des commentateurs non qualifiés autour des
œuvres. C'est qu'à mesure que l'art se spécialise la vulgari-
sation devient plus nécessaire. Et des millions d'hommes
ont le sentiment aujourd'hui de connaître tel ou tel grand
artiste de notre temps parce qu'ils ont appris par les journaux qu'il élève des canaris ou qu'il ne se marie jamais que
pour six mois. Arriver à la célébrité aujourd'hui, c'est souvent parvenir à ne pas être lu. Et selon moi, une certaine
forme du nihilisme bourgeois culmine dans le triomphe
progressif de la critique bâclée[27] qui est arrivée à remplacer
presque totalement l'art et à se faire lire, le plus souvent,
à l'exclusion de ce dont elle parle. Sans doute le critique
de journal a raison de dire que sans lui le créateur n'arriverait pas à toucher le public.[28] Il y arrive en effet, mais dans
quel état! Et nul n'y peut rien. Tout artiste qui se mêle de
vouloir être célèbre[29] dans notre société doit savoir que ce
n'est pas lui qui le sera, mais quelqu'un d'autre sous son
nom, qui finira par lui échapper et peut-être, un jour, par
tuer en lui le véritable artiste.

II. — Le résultat est que tout ce qui a été créé de valable
dans l'Europe marchande du XIX et du XX siècles, en
littérature par exemple, s'est édifié contre la société[30] de son
temps. On peut même dire que jusqu'aux approches de la

Révolution française, la littérature en exercice[31] est, en gros, une littérature de consentement. A partir du moment où la société bourgeoise issue de la révolution est stabilisée commence, au contraire, une littérature de révolte. Les valeurs officielles sont alors niées, chez nous par exemple, soit par les porteurs de valeurs révolutionnaires, des romantiques à Rimbaud, soit par les mainteneurs des valeurs aristocratiques, dont Vigny et Balzac[32] sont de bons exemples. Dans les deux cas, peuple et aristocratie, qui sont les deux sources de toute civilisation, s'inscrivent contre la société factice de leur temps. Mais ce refus lui-même, trop longtemps maintenu et raidi, est devenu factice lui aussi et conduit à une autre sorte de nihilisme. Le thème du poète maudit dans une société marchande (*Chatterton*[33] en est la plus belle illustration) s'est durci dans un préjugé qui finit par vouloir qu'on ne puisse être un grand artiste que contre la société de son temps, quelle qu'elle soit. Légitime à son origine quand il affirmait qu'un artiste véritable ne pouvait composer avec le monde de l'argent, le principe est devenu faux lorsqu'on en a tiré qu'un artiste ne pouvait s'affirmer qu'en étant contre toute chose en général. C'est ainsi que beaucoup de nos artistes aujourd'hui aspirent à être maudits, ont mauvaise conscience à ne pas l'être et rêvent d'être sifflés[34] par leurs contemporains. Naturellement, la société étant aujourd'hui fatiguée ou indifférente, ils ne le sont pas, ou le sont par hasard. L'intellectuel de notre temps croit ainsi, par une assez émouvante naïveté, qu'il faut se raidir pour se grandir.[35] Mais à force de tout refuser[36] et jusqu'à la tradition de son art, l'artiste contemporain se donne l'illusion de créer sa propre règle et finit par se croire Dieu. Du même coup, il croit pouvoir créer sa réalité lui-même. Les uns se bornent à rêver[37] cette réalité et des centaines de petits dieux rêveurs hantent ainsi les cafés spécialisés de nos capitales où ils ne créeront jamais rien pour avoir voulu tout tirer d'eux-mêmes. Les autres créent, loin du réel, des œuvres formelles ou abstraites, émouvantes en tant qu'expériences, mais privées de la fécondité propre à l'art véritable, dont la vocation est de rassembler.[38] Pour finir, il y aura autant de différence entre les subtilités et les abstractions contemporaines et l'œuvre d'un Tolstoï ou d'un Molière qu'entre la traite escomptée sur un blé invisible et la terre épaisse du sillon[39] lui-même.

L'art peut ainsi être un luxe mensonger. On ne s'étonnera donc pas que des hommes et des artistes, dès l'instant où cette évidence leur est apparue, aient voulu faire machine arrière[40] et revenir à la vérité. Pour cela, ils ont refusé à l'artiste tout droit à la solitude et lui ont donné comme sujet, non pas ses rêves, mais la réalité vécue et soufferte par tous. Partant du principe que l'art formel, par ses sujets comme par son style, échappe à la compréhension des masses, ou bien n'exprime rien de leur vérité, ces hommes ont voulu que l'artiste se proposât au contraire de parler du et pour le plus grand nombre. Dès l'instant où il parlera des souffrances et du bonheur de tous dans le langage de tous, il sera compris universellement. En récompense d'une soumission absolue à la réalité, il obtiendra la communication totale entre les hommes.

Cet idéal de la communication universelle est en effet celui de tout grand artiste et il n'est pas douteux, contrairement au préjugé courant, que si quelqu'un n'a pas droit à la solitude, c'est justement l'artiste. Particulièrement aujourd'hui où, malgré des frontières périmées, la réalité humaine de plus en plus est parcourue du même sang, l'artiste voudrait parler non plus pour une classe, ni même pour une nation, mais pour tous ceux dont les cris ou les silences lui parviennent chaque matin par les ondes[41] ou les journaux. De là, remarquons-le en passant, l'extraordinaire développement du roman qui peut se traduire dans toutes les langues et dans tous les cœurs. Cependant, l'idée que l'artiste puisse s'approcher de son idéal et triompher de toutes les solitudes par une soumission absolue à la réalité est aussi une idée vide de sens. Le réalisme et le formalisme sont deux erreurs à la fois inverses et complémentaires. Un art qui se veut ou se croit au seul service du réel est un nouveau mensonge, parfois aussi luxueux que l'autre, et je voudrais dire pourquoi. Il nous faut pour cela examiner l'esthétique officielle de cette école qui est le réalisme socialiste.

Disons d'abord que le réalisme absolu, qu'il voit socialiste on non est, en art, un non-sens. A la limite,[42] le réalisme serait à l'art ce que la photographie est à la peinture. La première reproduit tandis que la deuxième choisit. Mais la meilleure des photographies n'est pas une reproduction assez fidèle, n'est pas encore assez réaliste. Prenons un exemple. Qu'y a-t-il de plus réel, dans notre univers, qu'une vie d'homme? Comment espérer la faire mieux revivre que dans un film réaliste? Mais à quelles conditions un tel film sera-t-il possible? A des conditions purement imaginaires. Il faudrait en effet supposer une caméra idéale fixée nuit et jour sur cet homme et enregistrant sans arrêt ses moindres mouvements. Le résultat serait un film dont la projection elle-même durerait une vie d'homme et qui ne pourrait être vu que par des spectateurs qui consentiraient à perdre leur vie pour s'intéresser exclusivement au détail de l'existence d'un autre. Même à ces conditions, ce film inimaginable ne serait pas réaliste. Pour cette raison simple que la réalité d'une vie d'homme ne se trouve pas seulement là où il se tient.[43] Elle gît[44] aussi dans d'autres vies qui donnent une forme à la sienne, vies d'êtres aimés, d'abord, qu'il faudrait filmer à leur tour, mais vies aussi d'hommes inconnus, puissants et misérables, concitoyens, policiers, professeurs, frères invisibles des mines et des chantiers, diplomates et dictateurs, réformateurs religieux, artistes qui créent des mythes décisifs pour notre conduite, humbles représentants, enfin, du hasard souverain qui règne sur les existences les plus ordonnées. Il n'y a donc qu'un seul film réaliste possible, celui là même qui sans cesse est projeté devant nous par un appareil invisible sur l'écran du monde. Le seul artiste réaliste serait Dieu, s'il existe. Les autres artistes sont, par force, infidèles au réel.

Dès lors, les artistes qui refusaient la société bourgeoise et son art formel, qui voulaient parler de la réalité et d'elle seule, sans s'éloigner d'elle, sans l'interpréter par quelque principe transcendant, se trouvent dans une impasse. Ils doivent être réalistes et ne le peuvent pas. Ils veulent soumettre leur art à la réalité et on ne peut en art décrire la réalité sans la soumettre à un principe de choix. La belle et tragique production des premières années de la révolution russe nous montre bien ce tourment. Ce que la Russie nous a donné à ce moment avec Blok et Pasternak, Maiakovski et Essenine, Eisenstein et les premiers romanciers du ciment et de l'acier,[45] c'est un splendide laboratoire de formes et de thèmes, une féconde inquiétude, une folie de recherches. Il a fallu conclure cependant et dire comment on pouvait être réaliste alors que le réalisme était impossible. La dictature, ici comme ailleurs, a tranché: le réalisme selon elle, était d'abord nécessaire, et il était ensuite possible à la condition qu'il se veuille socialiste. Quel est le sens de ce décret et même a-t-il un sens?

Il n'a de sens que dans la mesure où il consacre une impossibilité et tente d'y trouver une issue elle-même impossible. Il reconnait qu'on ne peut reproduire la réalité sans y faire un choix et sans lui restituer une unité venue de l'extérieur. Comme il refuse tout principe de choix et d'unité qui serait transcendant à cette réalité, (comme par exemple, dans ce qu'on appelle le réalisme espagnol)[46] il ne lui reste qu'à trouver le point fixe autour duquel le monde s'organisera. Et il le trouve non pas dans la réalité puisqu'il ne le peut pas, mais seulement dans la réalité qui sera, c'est-à-dire l'avenir. Autrement dit, le principe d'unité du réalisme socialiste, c'est justement ce qui n'a pas encore de réalité. Ceci s'éclairera si nous considérons la contradiction qui gît dans l'expression même de réalisme socialiste.

Comment en effet un réalisme socialiste est-il possible alors que la réalité n'est pas tout entière socialiste? Elle n'est socialiste par exemple ni dans le passé, ni tout à fait dans le présent. La réponse est simple: on choisira dans la réalité d'aujourd'hui ou d'hier ce qui prépare et sert la cité parfaite de l'avenir. On se vouera donc d'une part à nier et à condamner ce qui, dans la réalité, n'est pas socialiste, d'autre part à exalter ce qui l'est ou le deviendra. Nous obtenons donc, et inévitablement, la littérature et l'art de propagande, avec ses bons et ses méchants qui est l'exact pendant de la bibliothèque rose des auteurs bourgeois et formalistes, et aussi éloigné qu'elle de la réalité complexe et vivante. On recherche la communication universelle et on finit pourtant par exclure la moitié au moins de l'humanité. Finalement, cet art sera socialiste dans la mesure où[47] il ne sera pas réaliste. J'ai lu ainsi un critique de la littérature soviétique qui se plaignait de ce que le militant fut toujours décrit dans les romans qu'il lisait selon les normes de 1923 alors qu'il eut voulu trouver celui de 1953, qui, selon toutes probabilités, est légèrement différent. C'est que le passé est toujours moins dangereux à décrire que le présent et qu'il est plus propice à la fabrication d'une littérature édifiante, plus difficile en somme à démentir. Il est plus facile de mentir sur Jeanne d'Arc ou Pierre le Grand que sur de Gaulle ou Vychinsky.[48] Pour pouvoir mieux servir l'avenir, on finit par se résoudre à ne parler plus qu'au passé. Cette esthétique qui se veut réaliste n'est donc rien de plus qu'un nouveau formalisme et un nouvel idéalisme aussi insoutenables que l'idéalisme bourgeois. La réalité ici est placée ostensiblement à un rang souverain pour être mieux liquidée et l'art se trouve réduit à rien. Il sert et, servant, il est asservi. Seuls ceux qui se garderont de décrire la réalité seront appelés réalistes et loués. Les autres seront censurés aux applaudissements des premiers. La célébrité qui consistait à ne pas ou à être mal lu, en société bourgeoise, consistera à empêcher les autres d'être lus, en société totalitaire. Au lieu des grandes rêveries concrètes de l'intelligence créatrice, nous aurons droit dans le premier cas à d'aimables sophistications, ou dans le second, à un morne conte de fées plein d'ogres ennuyeux. A chaque fois, l'art vrai sera défiguré ou bâillonné.[49]

Le plus simple serait ici de reconnaître que ce réalisme dit socialiste n'a rien à voir avec le grand art et que les révolutionnaires d'aujourd'hui, dans l'intérêt même de la révolution, feraient mieux de changer d'esthétique. On sait au contraire que ses défenseurs crient qu'il n'y a pas d'art possible en dehors de lui. Ils le crient, en effet. Mais ma conviction profonde est qu'ils ne le croient pas et qu'ils ont décidé, en eux-mêmes, que les valeurs artistiques devaient être soumises aux valeurs révolutionnaires. Si cela était dit clairement, la discussion serait plus facile. Car on peut comprendre et respecter ce grand renoncement chez des hommes qui souffrent trop du contraste entre le malheur de tous et les privilèges attachés parfois à un destin d'artiste, qui refusent l'insupportable distance où se séparent ceux que la misère baillonne et ceux dont la vocation est au contraire de s'exprimer toujours. On peut comprendre ces hommes, tenter de dialoguer dès lors avec eux, et par exemple essayer de leur dire que la suppression de la liberté créatrice n'est peut-être pas le bon chemin pour triompher de la servitude et qu'en attendant de parler pour tous, il est stupide de s'enlever le pouvoir de parler pour quelques-uns au moins. Oui, le réalisme socialiste devrait avouer sa parenté et qu'il est le frère jumeau du réalisme politique. Il supprime l'art pour une fin étrangère à l'art mais qui, dans l'échelle des valeurs, peut lui paraître supérieure. On supprime l'art provisoirement, pour édifier la justice parfaite. Quand la justice sera, dans un avenir imprécisé, elle ressuscitera. On applique ainsi dans les choses de l'art cette règle d'or de l'intelligence contemporaine qui veut qu'on ne fasse pas d'omelette sans casser des œufs. Mais cet écrasant bon sens ne doit pas nous abuser. Car il ne suffit pas de casser des milliers d'œufs pour faire une bonne omelette et ce n'est pas, il me semble, à la quantité de coquilles brisées qu'on estime la qualité du cuisinier. Les cuisiniers artistiques de notre temps doivent craindre au contraire de renverser plus de corbeilles d'œufs qu'ils ne l'auraient voulu et que, dès lors, l'omelette de la civilisation ou de l'art ne prenne plus jamais.[50] La barbarie après tout n'est jamais provisoire ni partielle. Et nos artistes, partis d'un refus de toute complicité avec le crime et la misère, doivent prendre garde de ne pas ressembler à ces bonnes filles qui devant l'auberge de Peirebeilhe[51] chantaient de toute leur voix pour couvrir les cris des voyageurs égorgés par leurs vertueux parents.

A vouloir ignorer, par une affectation de lucidité et de cynisme, les réalités les plus sanglantes de l'histoire, on se condamne souvent, même sans l'avoir voulu, à couvrir de son art les pires entreprises contre la dignité humaine. Alors naissent, du malheur et du sang des hommes, les littératures insignifiantes, les bonnes presses, les portraits photographiés et les pièces de patronage où la haine remplace la religion.

L'art culmine ici dans un optimisme de commande,[52] le pire des luxes justement, et le plus dérisoire des mensonges. Le mensonge formel faisait mine sans doute d'ignorer le mal et en prenait ainsi la responsabilité. Mais le mensonge réaliste, aujourd'hui, s'il prend sur lui de reconnaître le mal et la souffrance, décide seulement, contre toute décence, de l'appeler dans certains cas bonheur.

Ainsi dès qu'on examine le problème que posent aujourd'hui les rapports de l'art et du monde, on s'aperçoit que les deux esthétiques qui se combattent aujourd'hui si cruellement, celle qui affirme un refus total de l'actualité[53] et celle qui prétend tout rejeter de ce qui n'est pas l'actualité sont issues d'une même conception et débouchent toutes les deux loin de la réalité, dans un même mensonge et dans la suppression de l'art. Quel est le dieu commun en effet de l'idéalisme bourgeois et du réalisme socialiste? C'est l'académisme qui reste aujourd'hui encore leur seule esthétique réelle, comme le conformisme le plus court finit par être la seule moralité sociale qui leur soit commune.

Faut-il conclure que ce mensonge est l'essence même de l'art? Je dirai au contraire que les attitudes dont j'ai parlé jusqu'ici ne sont des mensonges que dans la mesure où elles n'ont pas grand'chose à voir avec l'art. Qu'est-ce donc que l'art? Rien de simple, cela est sûr. Et il est encore plus difficile de l'apprendre au milieu des cris de tant de gens acharnés à[54] tout simplifier. On veut d'une part que le génie soit splendide et solitaire, et, d'un autre côté, on le somme de[55] ressembler à tous. Hélas, la réalité est plus complexe. Et Balzac l'a fait sentir en une phrase: « Le génie ressemble à tout le monde et nul ne lui ressemble ». Ainsi de l'art, qui n'est rien sans la réalité, et sans qui la réalité est peu de chose. Comment l'art se passerait-il en effet du réel et comment s'y soumettrait-il? L'artiste choisit son objet autant qu'il est choisi par lui. L'art dans un certain sens, est une révolte contre le réel dans ce qu'il a de fuyant et d'inachevé: il ne se propose donc rien d'autre que de donner une autre forme à une réalité qu'il est contraint pourtant de conserver parce qu'elle est la source de son émotion. Pour corriger le réel, il faut conserver le réel, ou du moins ce qui du réel mérite de l'être. L'art n'est donc ni le refus total, ni le consentement total à ce qui est. Il est en même temps refus et consentement, et c'est pourquoi il ne peut être qu'un déchirement perpétuellement renouvelé. L'artiste se trouve toujours dans cette ambiguïté, incapable de nier le réel et cependant éternellement voué à le contester dans ce qu'il a d'éternellement inachevé. Il ne peut donc être seul dans sa création, mais la réalité ne peut y régner sans lui. Sans la lumière du monde, par exemple, les formes de la sculpture ne seraient pas, mais les formes à leur tour ajoutent à la lumière du monde. L'univers réel qui, par sa splendeur, suscite les corps et les statues, reçoit d'eux en même temps une seconde lumière qui fixe enfin celle du ciel. Le grand style se trouve ainsi à mi-chemin de l'artiste et de son objet. Il est ce principe qui, pour un moment au moins, maîtrise les destins, trace les limites, donne l'ordre du langage, des lignes ou des mélodies au désordre des passions et des événements. Il intervient dans la réalité pour la rendre encore plus réelle, c'est-à-dire plus intelligible.

Le problème de l'art n'est donc pas de savoir s'il doit fuir le réel ou s'y soumettre, mais seulement de quelle dose exacte de réel l'œuvre doit se lester[56] pour ne pas disparaître dans les nuées ou se traîner au contraire avec des semelles de plomb. Ce problème, chaque artiste le résout comme il le sent et le peut. Et il est bien évident que sa solution dépend de chacun, qu'elle réside dans le calcul d'une juste proportion. Nous sommes tous réalistes et personne ne l'est. Plus forte est la révolte d'un artiste contre la réalité du monde et plus grand peut être le poids du réel qui l'équilibrera.[57] Mais ce poids ne doit jamais étouffer l'exigence solitaire de l'artiste. L'œuvre la plus haute sera toujours, comme dans Melville, Tolstoï, Molière, celle qui équilibrera la chair frémissante du monde et la contestation que l'homme fait de ce monde, l'une faisant rebondir l'autre dans un double et incessant jaillissement qui est celui-là même de la vie joyeuse et déchirée. Alors surgit, de loin en loin, un monde neuf, différent de celui de tous les jours et pourtant le même, plein d'insécurité innocente, suscité pour quelques heures par la force et l'insatisfaction du génie. C'est cela et pourtant ce n'est pas cela, le monde n'est rien et le monde est tout, voilà le double et inlassable cri de tout artiste vrai, le cri qui le tient debout, les yeux toujours ouverts, et qui, de loin en loin, réveille pour tous au sein du monde endormi et trompeur le souvenir fugitif et insistant de ce que nous avons vécu sans toujours le savoir.

Cette description peut éclairer en tout cas le problème des rapports de l'art avec l'actualité. Nous en déduirons, en effet, qu'un artiste ne peut ni s'éloigner de son temps, ni s'y fondre absolument. S'il s'en éloigne tout à fait, il parle dans le vide. Mais inversement, dans la mesure où il le prend comme objet de son art, il affirme sa propre existence en tant que[58] sujet et ne peut s'y soumettre tout entier. Autrement dit, c'est au moment même où l'artiste choisit de partager le sort de tous qu'il affirme l'individu qu'il est. L'objet de l'artiste dans l'histoire, c'est donc ce qu'il peut en voir lui-même ou en souffrir lui-même, directement ou indirectement, c'est l'actualité au sens strict du mot, c'est-à-dire les hommes qui vivent aujourd'hui, non le rapport de cette actualité à un avenir imprévisible pour l'artiste vivant. Et justement ce que je suis tenté de reprocher aux artistes qui se veulent aujourd'hui engagés, c'est de renier l'actualité au profit de constructions à venir. Juger l'homme vivant au nom d'un homme qui n'existe pas encore, c'est le rôle de la prophétie. L'artiste, lui, ne peut qu'apprécier les mythes qu'on lui propose en fonction de leur répercussion sur l'homme vivant. Le prophète peut juger absolument et d'ailleurs, on le sait, ne s'en prive pas. Mais l'artiste ne le peut pas. S'il jugeait absolument, il partagerait sans nuances la réalité entre le bien et le mal, il ferait, il fait du mélodrame. Et le but du grand art ce n'est pas le mélodrame, mais la tragédie où s'opposent des forces également légitimes et où toute valeur est à la fois bonne et mauvaise, sauf celle qui prétend être la seule bonne, car celle-ci est alors la seule mauvaise. Le but de l'art n'est pas de régner mais d'abord de comprendre. Il règne parfois, à force de comprendre. Aucune œuvre de génie en tout cas n'a jamais été fondée sur la haine et le mépris. C'est pourquoi l'artiste, au terme de son cheminement, absout au lieu de condamner. Il n'est pas juge, mais justificateur. Il est l'avocat perpétuel de la créature vivante, parce qu'elle est vivante. Il plaide vraiment pour l'amour du prochain, non pour cet amour du lointain qui dégrade l'humanisme contemporain en catéchisme de tribunal. La grande œuvre finit, au contraire, par confondre tous les juges. Par elle, l'artiste, en même temps, rend hommage à la plus haute figure de l'homme et s'incline devant le dernier des criminels. « Il n'y a pas, écrit Wilde[59] en prison, un seul des malheureux enfermés avec moi dans ce misérable endroit qui ne se trouve en rapport symbolique avec le secret de la vie ». Oui, et ce secret de la vie coïncide avec celui de l'art.

C'est en cela, et seulement en cela que, selon moi, l'art peut être révolutionnaire, car il est la contestation perpétuelle. Et ceci explique en même temps pourquoi la société de notre temps, qu'elle soit réactionnaire ou qu'elle se dise progressiste, vise à le neutraliser.[60] L'académisme de droite ignore une misère que l'académisme de gauche utilise. Mais, dans les deux cas, la misère est renforcée. La peine des hommes est un sujet si grand qu'il semble que personne ne saurait y toucher, à moins d'être comme Keats, si sensible, dit-on, qu'il aurait pu toucher de ses mains la douleur elle-même. A ce misérable et terrible sujet seuls s'égalent les plus grands qui sont en même temps les plus humbles. Et qui n'est ni Goya ni Tolstoï peut toujours s'aider d'une esthétique comminatoire[61] ou d'une récompense d'Etat, il desservira cette misère en essayant de la faire servir.

Pendant 150 ans, les écrivains de la société marchande, a de rares exceptions près, ont cru pouvoir vivre dans une heureuse irresponsabilité. Ils ont vécu en effet et puis sont morts seuls, comme ils avaient vécu. Nous autres, écrivains du XX siècle, ne serons plus jamais seuls. Nous devons savoir au contraire que nous ne pouvons nous évader de la misère commune, et que notre seule justification, s'il en est une, est de parler pour tous ceux qui ne peuvent le faire. Mais nous devons le faire pour tous ceux, en effet, qui souffrent en ce moment, quelles que soient les grandeurs passées, ou futures, quels que soient les drapeaux des sociétés qui les oppriment: il n'y a pas pour nous de bourreaux privilégiés. C'est pourquoi la beauté, même aujourd'hui, surtout aujourd'hui, ne peut servir aucun parti: elle ne sert que la douleur ou la joie des hommes. Le seul artiste engagé est celui qui, sans rien refuser du combat, refuse du moins de rejoindre les armées régulières, je veux dire le franc-tireur.[62] Lui ne se demande pas si la beauté est inutile. Elle l'est peut-être, après tout, et ni plus ni moins que le monde lui-même. Mais il est sûr au moins que, sans elle, l'utilité du monde est mince. La leçon qu'on trouve dans la beauté, si elle est honnêtement tirée, n'est jamais une leçon d'égoïsme mais de dure fraternité. Ainsi conçue, la beauté n'a jamais asservi[63] aucun homme. Et depuis des millénaires, tous les jours, à toutes les secondes, elle a soulagé au contraire la servitude de millions d'hommes et, parfois, libéré pour toujours quelques uns. Pour finir, peut-être touchons-nous ici la grandeur de l'art, dans cette perpétuelle tension entre la beauté et la douleur, l'amour des hommes et la folie de la création, la solitude insupportable et la foule harassante, le refus et le consentement. Il chemine entre deux abîmes, qui sont la frivolité et la propagande. Et sur cette ligne de crête[64] où avance le grand artiste, chaque pas est une aventure, un risque extrême. Dans ce risque pourtant, et dans lui seul, se trouve la liberté de l'art. Liberté difficile et qui ressemble plutôt à une discipline ascétique? Il est vrai. Cette liberté suppose une santé du cœur, un style qui soit comme la force de l'âme et un affrontement[65] patient. Elle est comme toute liberté un risque perpétuel, une aventure exté-nuante et voilà pourquoi on fuit aujourd'hui ce risque comme on fuit l'exigeante liberté pour se ruer à toutes sortes de servitudes, et obtenir au moins le confort de l'âme. Mais si l'art n'est pas une aventure, qu'est-il donc et où est sa justification?

Non, l'artiste libre, pas plus que l'homme libre, n'est l'homme du confort. Il n'est pas non plus l'homme du désor-dre intérieur, ni celui de l'ordre imposé. L'artiste libre est celui qui crée son ordre lui-même. Plus est déchaîné ce qu'il doit ordonner, plus sa règle sera stricte et plus il aura affirmé sa liberté. Il y a un mot de Gide que j'ai toujours approuvé bien qu'il puisse prêter à malentendu.[66] « L'art vit de contrainte et meurt de liberté ».[67] Cela est vrai. Mais il ne faut pas en tirer que l'art puisse être dirigé. L'art ne vit que des contraintes qu'il s'impose à lui-même: il meurt des autres. En revanche, s'il ne se contraint pas lui-même, le voilà qui délire et s'asservit à des ombres. L'art le plus libre, et le plus insoumis, est ainsi le plus classique; il couronne le plus grand effort. Tant qu'une société et ses artistes ne consentent pas à ce grand et libre effort, tant qu'ils se laissent aller au confort des divertissements ou à celui du conformisme, aux jeux de l'art formel ou aux prêches de l'art réaliste, ses artistes restent dans le nihilisme. Dire cela, c'est dire que la renaissance aujourd'hui dépend de notre courage et de notre volonté de clairvoyance.

Oui, cette renaissance est entre nos mains à tous. Il dépend de nous que l'Occident suscite ces contre-Alexandre qui devaient renouer le nœud gordien de la civilisation, tranché par la force et l'épée.[68] Pour cela, il nous faut prendre tous les risques et les travaux de la liberté. Il ne s'agit pas de savoir si, en édifiant la justice, nous arriverons à préserver la liberté. Il s'agit de savoir que, sans la liberté, nous ne réaliserons rien et que nous perdrons à la fois la justice possible et la beauté ancienne. La liberté seule retire les hommes de l'isolement; la servitude, elle, ne plane[69] que sur une foule de solitudes. Et l'art, en raison de cette libre essence[70] que j'ai essayé de définir, réunit là où la tyrannie sépare. Quoi d'étonnant dès lors à ce qu'il soit l'ennemi désigné par toutes les oppressions? Quoi d'étonnant à ce que les artistes et les intellectuels aient été les premières victimes des tyrannies modernes, qu'elles soient de droite ou de gauche? Les tyrans savent qu'il y a dans l'œuvre d'art une force d'émancipation qui n'est mystérieuse que pour ceux qui n'en ont pas le culte. Chaque grande œuvre rend plus admirable et plus riche la face humaine, voilà tout son secret. Et ce n'est pas assez de milliers de miradors[71] et de barreaux de cellule pour obscurcir ce bouleversant témoignage de dignité. C'est pourquoi il n'est pas vrai que l'on puisse, même provisoirement, suspendre la culture pour en préparer une nouvelle. On ne suspend pas l'incessant témoignage de l'homme sur sa misère et sa grandeur, on ne suspend pas une respiration. Il n'y a pas de culture sans héritage et nous ne pouvons ni ne devons rien refuser du nôtre, celui de l'Occident. Quelles que soient les œuvres de l'avenir, elles seront toutes chargées du même et ancien secret, fait de courage et de liberté, nourri par l'audace de milliers d'artistes de tous les siècles. Oui, quand la tyrannie moderne nous montre que, même cantonné dans son métier,[72] l'artiste est l'ennemi public, elle a raison. Mais elle rend ainsi hommage, à travers lui, à une figure de l'homme que rien jusqu'ici n'a pu écraser.

Ma conclusion sera simple. Elle consistera à dire, sans esprit de provocation: « Réjouissons-nous ». Réjouissons-nous en effet d'avoir vu mourir une Europe menteuse et confortable et de nous trouver confrontés maintenant à de difficiles vérités. Réjouissons-nous en tant qu'hommes puisqu'une longue mystification s'est écroulée et que nous voyons clair dans ce qui nous menace. Et réjouissons-nous en tant qu'artistes, arrachés au sommeil et à la surdité, maintenus de force devant la misère, les prisons, le sang. Si, devant ce spectacle, nous savons garder la mémoire des jours et des visages, si, inversement, devant la beauté du monde, nous savons ne pas oublier les humiliés, alors l'art occidental peu à peu retrouvera sa force et sa royauté. Certes, il est, dans l'histoire, peu d'exemples d'artistes confrontés avec de si durs problèmes. Mais, justement, lorsque les mots et les phrases, même les plus simples, se paient en poids de liberté et de sang, l'artiste apprend à les manier avec mesure. Le danger rend classique et toute grandeur, pour finir, a sa racine dans le risque.

Le temps des artistes irresponsables est certes passé. Nous le regretterons pour nos petits bonheurs. Mais nous saurons reconnaître que cette épreuve sert en même temps nos chances d'authenticité, et nous accepterons le défi.[73] La liberté de l'art ne vaut pas cher quand elle n'a d'autre sens que d'assurer le confort de l'artiste. Pour qu'une valeur ou vertu prenne racine dans une société, il convient de ne pas mentir à son propos, c'est-à-dire de payer pour elle, chaque fois qu'il est nécessaire. Si la liberté est devenue dangereuse,

alors elle est en passe de[74] ne plus être prostituée. Et je
ne puis approuver, par exemple, ces philosophes contemporains qui se plaignent du déclin de la sagesse. Apparemment, ils ont raison. Mais, en vérité, la sagesse n'a jamais
autant décliné qu'au temps où elle était le plaisir sans risques
de quelques humanistes de bibliothèque. Aujourd'hui, où
elle est affrontée enfin à de réels dangers, il y a des chances
au contraire pour qu'elle puisse à nouveau se tenir debout,
à nouveau être respectée.

On dit que Nietzsche après la rupture avec Lou Salomé,[75]
entré dans une solitude définitive, écrasé et exalté en même
temps par la perspective de cette œuvre immense qu'il
devait mener sans aucun secours, se promenait la nuit sur
les montagnes qui dominent le golfe de Gênes, et y allumait
d'immenses incendies qu'il regardait se consumer. J'ai souvent rêvé à ces feux et il m'est arrivé en pensée de placer
devant eux, pour les mettre à l'épreuve, certains hommes
et certains œuvres. Eh bien, notre époque est un de ces feux
dont la brûlure insoutenable réduira sans doute beaucoup
d'œuvres en cendres. Mais pour celles qui resteront, leur
métal est intact et nous pourrons à leur propos nous livrer
sans retenue à l'admiration, cette joie suprême de l'intelligence.

On peut souhaiter sans doute, et je le souhaite aussi, une
flamme plus douce, un répit, la halte propice à la rêverie.
Mais peut-être n'y a-t-il pas d'autre paix pour l'artiste que
celle qui se trouve justement au plus brûlant du combat.
« Tout mur est une porte » a dit justement Emerson. Ne
cherchons pas la porte, et l'issue, ailleurs que dans le mur
contre lequel nous vivons. Cherchons au contraire le répit
où il se trouve, je veux dire au milieu même de la bataille.
Car selon moi, et c'est ici que je terminerai, il s'y trouve.
Les grandes idées, on l'a dit, viennent dans le monde sur
des pattes de colombe. Peut-être alors, si nous prêtions
l'oreille, entendrions-nous au milieu du vacarme des em-
pires et des nations comme un faible bruit d'ailes, le doux
remue-ménage de la vie et de l'espoir. Les uns diront que
cet espoir est porté par un peuple, et d'autres par un homme.
Je crois pour moi qu'il est suscité, ranimé, entretenu par

des millions de solitaires dont les actions et les œuvres chaque jour, nient les frontières et les plus grossières apparences de l'histoire, pour faire resplendir fugitivement la vérité toujours menacée que chacun, sur ses souffrances et sur ses joies, élève pour tous.

NOTES

L'ENVERS ET L'ENDROIT: *Préface, L'Ironie*

1. *intéressent, et trahissent:* concern, and reveal.
2. *Brice Parain* (1897–   ), author of several books of essays and secretary of the Editions of *La Nouvelle Revue Française*.
3. *tarie ... se fendiller: tarie:* dried up; *se racornir:* shrivel up; *se fendiller:* crack.
4. *chaumes:* thatch. The image of a dead "thatch" of artificial hair, extraneous to the head itself, is quite humorous.
5. *sans tricher:* without cheating.
6. *divinité: Changer la vie* was the ultimate aim of poetry according to young Rimbaud. *Transformer le monde* is a succinct formulation of the Marxist program.
7. *fil d'équilibre:* tight-rope.
8. *la gêne:* strained circumstances, want.
9. *"Castillanerie":* the Castilians are known for their pride and somewhat arrogant boastfulness. Camus was part Spanish.
10. *Jean Grenier,* French philosopher under whom Camus studied, first at his high school, then at the University of Algiers, and who became one of his most valued friends.
11. *Sébastien Chamfort* (1741–1794), French writer and moralist, for an edition of whose terse, ironical *Maximes* Camus wrote a preface.
12. *ne me revient pas:* is not mine.
13. *philanthropes:* Camus, who belonged to the working class, often laughed at the earnest doctrinaire bourgeois advocates of the "masses."

14. *se conjugue:* is combined, coupled.

15. *dénuement:* destitution.

16. *la vie d'intérieur:* home life.

17. *on s'en doute:* as you can imagine.

18. *entraves:* obstacles.

19. *couverts de brocards:* covered with jeers.

20. *A ignorer:* By ignoring.

21. *si ... ma parade:* if I had put on a bigger show.

22. *Rubempré and Julien Sorel:* ambitious young social climbers in novels by Balzac and Stendhal.

23. *Nietzsche, Tolstoï, Melville,* three writers who deal with the question of absolutes.

24. *Tout-Paris:* designates the collection of celebrities whose most insignificant actions make headlines.

25. *briguer:* solicit.

26. *lui parti!:* once he's left!

27. *Pernod ... cœur:* Pernod (an alcoholic beverage) and the Miss Lonely Hearts column.

28. *cancre:* crabby, dunce-like.

29. *mauvaise joie:* perverse delight.

30. *lignée:* stock, ancestry.

31. *vise-t-elle:* is directed against.

32. *édifiée:* erected (cf. edifice).

33. *apprêté:* affected, dressed up.

34. *faire le point:* take his bearings.

35. *consigner:* write down, record.

36. *remuante:* restless, bustling.

37. *sensible:* sensitive; *sensé* means "sensible."

38. *chapelet ... stuc: un chapelet:* a rosary; *un christ:* a crucifix; *en stuc:* of stucco (a kind of plaster).

39. *s'en remettant ... Dieu:* placing her trust in God.

40. *une aubaine:* a windfall, godsend.

41. *peines:* troubles; *elle était ... rouleau:* she had reached the end of her tether; Camus uses a form of indirect speech to recall the conversation between the young man and the old woman.

42. *à la charge de quelqu'un:* a burden to someone.

43. *Mais ... encore:* But even in this respect people bothered her.

44. *S'il lui arrivait de:* If she happened to.

45. *La ... prie!:* There she is praying again!

46. *le gênait dans la poitrine:* constricted his chest.

47. *n'est pas de force:* is helpless.

48. *vînt aussi:* should also come.

49. *Quand:* Even if; *impotente:* crippled.

50. *l'autre:* la vieille.

51. *qui lui eût marqué de l'intérêt:* who had shown any interest in her.

52. *se dérober:* steal away, disappear.

53. *à toute volée:* with all his might.

54. *Dieu ... l'ôter aux:* God was of no use to her, except to remove her from.

55. *travaillait:* gripped.

56. *Il ne ménageait ... récit:* He never paused for breath when he spun a yarn.

57. *dont on l'accablait:* which were heaped upon him.

58. *fait poids:* carries weight.

59. *s'égarait:* got lost; *la grisaille ... assourdie:* the grayness of his own muffled voice.

60. *commandait une fin:* required that there be an ending.

61. *Sans égards:* Without consideration.

62. *On lui signifiait:* He was being served notice.

63. *A défaut:* Lacking that; at least.

64. *plus que son père il mange:* vernacular, inversion of the normal sentence order — *il mange plus que son père.*

65. *Livre:* pound; *kilog:* kilogramme.

66. *Et vas-y:* And down goes.

67. *Des fois que:* Quelquefois quand.

68. *"Il a la lune":* "He's got the blues."

69. *entêtement:* obstinacy.

70. *bute:* stumbles.

71. *mais qu'y faire:* but what can you do about it.

72. *béante:* open, gaping.

73. *loquet:* latch.

74. *se presse:* accelerates.

75. *en beauté:* looking his best.

76. *l'oisiveté:* idleness, leisure.

77. *contremaître:* foreman.

78. *il fallait ... sa vie:* he needed someone to listen to him in order to believe in his own life.

79. *crêtes boisées:* wooded ridges.

80. *elle s'éleva et s'étagea:* it rose in tiers.

81. *désemparé:* floundering; at sea.

82. *Ils vivaient à cinq:* There were five of them living together.

83. *compagnie d'assurances:* insurance company.

84. *Le jeu se corsait:* Things got pretty tense.

85. *"C'est que ... élevé.":* "You see, she's the one who raised him."

86. *ferme de banlieue:* suburban farm; *avaient échoué:* had ended up.

87. *Ce dernier: L'oncle.*

88. *soins du ménage:* household chores.

89. *affection du foie:* liver ailment.

90. *bidon d'ordures:* garbage can.

91. *Elle s'alita:* She took to her bed.

92. *pour lui complaire:* to humor her.

93. *décela:* discovered; *un ictère grave:* a bad case of jaundice.

94. *s'entêtait:* persisted.

95. *je pète:* I'm farting.

96. *tout pailleté de jaune:* all spangled with yellow.

97. *ne se concilie pas:* doesn't jibe.

NOCES: *L'Eté à Alger*

1. *comblé:* gratified in every wish.

2. *à la mesure de:* in proportion to.

3. *misé:* wagered.

4. *mot historique:* the dying Goethe is said to have requested the window curtains to be parted so that daylight could enter his room unhindered.

5. *Belcourt* and *Bab-el-Oued:* two working-class districts in Algiers; *vantardises:* bragging.

6. *toile cirée:* oilcloth.

7. *"se taper un bain":* (slang) "treat oneself to a swim."

8. *bouées:* buoys.

9. *systématique:* theory.

10. *Délos:* Greek island where the great sanctuary of Apollo was located and where a remarkable number of statues have been unearthed.

11. *la Kasbah:* the old Arab section of Algiers.

12. *blanc cru:* sharp white; *une frise:* a frieze.

13. *en longs coups de pagaie:* in long paddle-strokes; *cargos:* freighters.

14. *font la côte:* go up and down the coast.

15. *la darse:* the harbor; *fauve:* savage.

16. *la place du Gouvernement:* the square close to the port where the modern administrative buildings are located.

17. *maures:* Moorish; Arab.

18. *bascule:* topples.

19. *lentisques:* mastics, a variety of Mediterranean ever-green trees.

20. *se détend:* relaxes.

21. *jusqu'à se résorber:* until it is reabsorbed.

22. *inégalable:* exceptional; *délier:* release.

23. *plage Padovani:* a popular, crowded beach of Algiers.

24. *auvents:* awnings.

25. *en ombres chinoises:* silhouetted against it (allusion to Chinese shadow plays); *à tour de rôle:* in succession.

26. *le plateau:* the turntable.

27. *tournoient:* whirl about.

28. *prend la courbe:* follows the sweep.

29. *On ... mère:* You are not disrespectful to your mother.

30. *On a des égards ... enceinte:* You show consideration to pregnant women.

31. *à deux:* two at a time; *"ça fait vilain":* "that looks bad."

32. *l'affaire est réglée:* the matter is settled.

33. *"celui-là, c'est un pirate.":* "That one, he's a real pirate."

34. *boulomanes:* bowling-addicts; *"amicales":* associations (sports, professional, etc.); *des plus de trente ans:* of those over thirty.

35. *un amoncellement:* an accumulation; *entourages:* fencings.

36. *ex-voto:* (Lat.) a painting, statue or other object placed in a church to commemorate some divine favor or in fulfillment of a vow.

37. *abrutissante:* stupefying, deadly.

38. *immortelles:* a kind of flower; *qui prennent ... en marche:* who still jump onto moving streetcars.

39. *aller avec son siècle:* keep up with the times.

40. *la fauvette:* the warbler.

41. *croque-morts:* undertakers; *lorsqu'ils roulent à vide:* when they are driving an empty hearse.

42. *fâcheux:* untoward.

43. *tout compte fait:* all in all.

44. *me rassemble:* unifies my feelings.

45. *se prélassant:* lounge, loll.

46. *lui ont été prodigués:* have been lavished on it.

47. *les Doriens:* one of the Hellenic tribes, conquered the Peloponnesus and founded Sparta.

48. *acharné:* keen; *sont bonnes à dire:* can be uttered.

49. *trouvera son accord:* will feel at peace.

50. *Plotin:* Plotinus (205–270), Greek philosopher for whom all reality consisted of a series of emanations from the *One,* the eternal source of all being. He considered the climax of knowledge as an intuitive and mystical union with the *One.*

51. *trop tourmentés d'eux-mêmes:* too disturbed by their own selves.

52. *éluder:* evade.

53. *un jouisseur:* a sensualist.

54. *la boîte de Pandore:* According to Greek mythology, Pandora was a beautiful woman whom the gods sent to earth to avenge the theft of fire from heaven by Prometheus. She was given a box containing all ills, which escaped when she opened it, but hope remained at the bottom and came out last.

55. *se mêlait:* tried its hand at.

56. *bagarre:* fight, scuffle.

57. *le Cagayous de Musette:* a popular fictional Algerian character created by Musette who wrote comical Cagayous monologues.

58. *le "milieu":* "the underworld"; *argot:* slang.

59. *y: il.*

60. *vas: vais; c'était scousa:* it was no use; *j'te choppe le 6-35:* I'll grab your 6.35 (gun).

61. *rien qu'un:* just one; *le monde:* the crowd; *avancé à: avancé vers; un taquet:* a real blow; *les agents:* the police; *des petites:* girl friends; *la honte à la figure:* a very widely used Algerian way of saying one is red in the face; *le père à Lucien: le père de Lucien.*

CARNETS

1. *caroubiers:* carobs, trees very common in Mediterranean countries.

2. *le chemin de Sidi-Brahim:* path in the hills of Algiers.

3. *Huxley:* quotation from Aldous Huxley (1894–   ), English novelist, author of *Point Counter Point* (1928), *Brave New World* (1932), and other works.

4. *traqué:* harried, hunted. The term *"les voyageurs traqués"* was used to designate the restless "globe-trotters" of the 1920's. Camus had visited Italy that September and the Balearic Islands during the summer of 1936.

5. *un pont:* a place on deck; *inconsidéré:* unforeseen; *"déracinement":* allusion to a famous controversy between Maurice Barrès and André Gide. Gide upheld against Barrès the advantages of travel, of "uprooting" the individual.

6. *à bien voir:* all things considered; *Gide* and *Montherlant:* French writers whom Camus admired and who traveled widely, often in North Africa. Both were quite wealthy.

7. *Cimetière d'El Kettar:* cemetery near Algiers.

8. *Chemin de la Madeleine:* path in the hills of Algiers.

9. *Personnage:* note for a novel. The character, more than half dead, still passionately holds to his life.

10. *Des vies ... de menthe:* A whole lifetime is decided by an exchange of mint drops. This episode was later included in "L'Été à Alger."

11. *Cviklinsky:* a friend of Camus's. Camus quotes him and argues.

12. *se trouverait être: serait.*

13. *Aedificabo et destruam:* I shall build and I shall destroy. *Aedificabo et destruat:* I shall build and let it destroy (it: the world).

14. *3ème partie:* allusion to a novel Camus was planning, entitled first *La Vie heureuse,* then *La Mort heureuse.* The hero was called Mersault (here M.).

15. *Infirme:* this invalid recalls the one mentioned above.

16. *averse:* downpour.

17. *Salzbourg:* Camus had visited Central Europe. One part of *La Mort heureuse* was to take place there, and a section of *L'Envers et l'endroit* is set in Prague.

18. *donnait toutes les promesses:* was full of promise. Here is a first sketch of Meursault, the "Stranger."

19. *Mais il s'agit maintenant de:* But now it is a question of.

20. *Jeanne:* a fictional character. Camus told the editor that this was an outline for a short story. It was developed as an incident in *The Plague.*

21. *comment je l'ai connue:* how I made her acquaintance.

22. *cheminot:* railwayman.

23. *était toujours au ménage:* was always doing housework.

24. *Elle avait une façon à elle:* She had her own way of.

25. *inégale:* uneven, irregular.

26. *l'époque des fêtes:* Christmas time.

27. *rocaille:* rococo ornaments; *ouate hydrophile:* absorbent cotton-wool.

28. *réfréner:* repress.

29. *bouchées au chocolat:* chocolate kisses.

30. *s'accorder avec lui-même:* falling in harmony with himself.

31. *à l'envers:* in reverse.

LE MYTHE DE SISYPHE: *Avant-propos, L'Absurde et le suicide, Le Mythe de Sisyphe*

1. *éparse dans le siècle:* widespread in our age.

2. *elles: les pages.*

3. *engage:* entails.

4. *un mal de l'esprit:* a sickness of the mind.

5. *parti pris:* bias.

6. *à le préciser:* make this clear.

7. *Friedrich Nietzsche* (1844–1900), German philosopher whose critique of the values of the educated middle classes, values in his eyes antiquated and false, led to the formulation of an ethic of action; *prêcher d'exemple:* practice what he preaches.

8. *l'argument ontologique:* the ontological argument, name designating the alleged proof for God's existence devised by Anselm of Canterbury. It runs thus: Under the name of God everyone understands that greater than which nothing can be thought. Since anything being the greatest and lacking existence is less than the greatest having also existence, the former is not really the greater. The greatest, therefore, has to exist.

9. *Galilée:* Galileo Galilei (1564–1642), Italian astronomer, one of the founders of the experimental method, whose studies in astronomy led him to uphold the Copernican system which proclaimed (against the teaching of Church and University) the double motion of the planets, including the earth, around their own axes and around the sun. In 1633 he was forced to recant by the Inquisition. He is said to have exclaimed afterward: *"Eppur si muove!"* ("And yet it moves!").

10. *le bûcher:* the stake.

11. *Qui de ... l'autre:* Whether the earth or the sun revolves around the other.

12. *décuplent:* intensify, increase; *La Palisse:* or La Palice (c. 1470–1525), French captain who was killed at the battle of Pavia. His soldiers composed in his honor a song containing the following lines: *Un quart d'heure avant sa mort, Il était encore en vie* ... Which meant that he had fought to the end. Soon, however, the original meaning of these lines was lost. Hence the expression *"une vérité de La Palice"* to designate the most obvious truism; *Don Quichotte:* protagonist of Cervantes's famous novel (1605), Don Quixote

is a knight errant who pursues the flights of his fancy with complete disregard of reality and "common sense."

13. *il. tire ou il plonge:* he pulls the trigger or he jumps.

14. *gérant d'immeubles:* apartment-building manager.

15. *déclenche:* precipitates, triggers.

16. *parié:* opted; the idea of a gamble is present.

17. *mots courants:* everyday words.

18. *sans recours:* without remedy.

19. *il faut faire la part de:* allowance must be made for.

20. *critérium nietzschéen:* Nietzsche maintains that only that life is worth living which develops the strength and integrity to withstand the unavoidable sufferings and misfortunes of existence without retreating into an imaginary world. Belief, in Nietzsche's eyes, can be tested by one criterion only: action.

21. *Kirilov ... Lequier:* Kirilov is a character in Dostoevsky's *The Possessed* who commits suicide because, he reasons, since there is no God, man is free, even to take his own life; *Peregrinus Proteus,* first-century Greek cynic philosopher. Lucian relates that he announced at the Olympic games that he would throw himself into a pyre, hoping the crowd would restrain him. As it did not, he jumped into the flames to escape ridicule; *Jules Lequier* (1814–1862), French philosopher who held that it was impossible to do away with free will without abolishing knowledge, as free will is the foundation of certainty. In 1851 he was interned in an insane asylum and later committed suicide by swimming out to sea.

22. *Arthur Schopenhauer* (1788–1860), German philosopher whose principal work *The World as Will and Idea* starts with the thesis that the world is my idea, a primary fact of consciousness implying that subject and object are inseparable. He makes compassion the foundation of ethics and upholds the Buddhist ideal of desirelessness as a means for allaying the will which he considers evil and destructive; *faisait l'éloge:* praised.

23. *son homme:* a man.

24. *l'élision:* the act of eluding; *au sens pascalien:* In his *Pensées,* Pascal describes the many ways in which we

divert our attention from the one important reality: death.

25. *brouiller les cartes:* confuse matters.

26. *forcément:* necessarily.

27. *aucune mesure forcée:* no inevitable common measure.

28. *se laisser égarer:* to be misled.

29. *démenti:* denial.

30. *mettre à jour:* clarify.

31. *donner ... le pas:* to give priority.

32. *s'ils s'y sont tenus:* whether they have kept to it.

33. *Karl Jaspers* (1883–): German Christian existentialist philosopher.

34. *tournant:* crossroad.

35. *baroque:* odd.

36. *Sisyphe:* According to legend, Sisyphus (i.e., "the Crafty"), king of Corinth, disclosed to the river-god Asopus how his daughter Aegina had been carried off by Zeus. As a punishment, Zeus sent Death to him, but Sisyphus fettered Death in chains and no one died until Death was delivered by Ares. Thereupon the gods condemned Sisyphus forever to keep on rolling a block of stone to the top of a steep hill, only to see it roll again to the valley, and to start his toil again.

37. *les motifs qui lui valurent d'être:* the reasons why he became.

38. *Pluton:* Pluto, god of the underworld.

39. *dépêcha:* dispatched.

40. *arrêt:* decree.

41. *gravir:* to scale, ascend; *crispé:* tense; *cale:* wedges.

42. *peine:* toils.

43. *tanières:* lairs.

44. *consomme:* crowns.

45. *Gethsémani:* a garden outside Jerusalem, scene of the agony and arrest of Christ (Matt. XXVI, xxxvi).

46. *Œdipe:* son of Laius, king of Thebes, and of Jocasta. Laius, having been warned by an oracle that he would die by the hand of his son, ordered the boy to be exposed on a hill, with his feet pierced (Œdipus: Swellfoot). However, Œdipus was adopted by an old couple and upon reaching

manhood learned from an oracle that he would slay his own father and beget children in wedlock with his mother. Horrified, he fled from his adoptive parents, met his real father whom he killed without knowing him, and took Jocasta for wife. Upon discovering the truth, Œdipus put out his own eyes and Jocasta hanged herself. Thereafter Œdipus wandered about the world guided by his daughter Antigone.

47. *épreuves:* trials. Quotation from *Œdipus at Colonus* (Sophocles).

48. *Kirilov:* see note 21, page 409.

49. *"Eh! quoi ... étroites ... ?":* "What! reaching it only by such narrow ways?" (implied dialogue).

50. *émerveillées:* wondering.

51. *l'envers:* the reverse.

52. *n'aura plus de cesse:* will be unceasing.

53. *destin:* fate; *destinée:* destiny.

54. *à lui seul:* by itself.

L'ETE: *Prométhée aux Enfers*

1. *Prométhée:* According to classical mythology, Prometheus was the founder of human civilization. After fashioning man from clay, he stole fire from Zeus and gave it to men. As a punishment he was chained to the Caucasus where an eagle daily consumed his liver. The Prometheus myth has received extensive treatment in literature, and Camus was familiar with Aeschylus's play *Prometheus Bound* which he had adapted for his theater group.

2. *Scythie:* The Caucasus. The Greeks regarded it as a desolate waste at the world's limit; *s'achève:* ends.

3. *actuel:* contemporary.

4. *Force, Violence:* Aeschylus's tragedy *Prometheus Bound* opens in the Caucasus. Might and Violence are there to see that Zeus's command is carried out.

5. *Est-ce que je cède:* Must I give in?

6. *le périple d'Ulysse:* Ulysses's sea journey. Camus had planned to go to Greece in 1939.

7. *l'enfer:* hell (World War II).

8. *de nous en arranger:* to come to terms with it.

9. *Les fantômes chaleureux:* the heart-warming ghosts.

10. *François-René de Chateaubriand* (1768–1848): writer whose *Génie du christianisme* (1802) and *René* (1805) are landmarks in the establishment of the Romantic movement in France. After traveling widely both in North America and Europe, he went to Greece in 1806.

11. *une bruyère:* heather.

12. *grillons:* crickets.

13. *se l'asservir:* dominating it.

14. *pensers: pensées.*

15. *Provence:* former province of France comprising the Mediterranean territory between the Rhône and Italy and south of a line running from Avignon to the Alps.

16. *Attique:* Attica, territory surrounding Athens where Greek civilization reached its fullest development.

17. Free quotations from the last part of Aeschylus's play.

18. *réfléchie:* considered, thoughtful.

19. *Hermès:* son of Zeus, messenger of the gods and himself god of eloquence, commerce, and thieves. In Aeschylus's *Prometheus Bound* he is sent by Zeus to wrest from Prometheus — who can look into the future and who foretells Zeus's downfall — the secret of how this downfall will come about. Prometheus refuses, though this will spell a long period of torture, declaring that all gods are his enemies.

20. *devin:* soothsayer.

21. *sève:* sap.

22. *cœur:* depths.

23. *dans la foudre et le tonnerre divins:* in the face of divine lightning and thunder. In *Prometheus Bound,* after Prometheus refuses to answer Hermes, Zeus strikes him with thunder and lightning.

LES JUSTES

1. *le timbre:* the bell.

2. *Le bagne:* the convict-prison.

3. *bourreau:* hangman.

4. *le grand duc:* Serge Aleksandrovich, the tsar's uncle and commander of the Moscow military district, was killed on February 4, 1905, by a bomb hurled into his carriage by the socialist revolutionary Kaliayev.

5. *déplacements:* movements.

6. *le cas échéant:* in case of need.

7. *prendre garde:* take care.

8. *faire sauter:* blow up.

9. *le parcours:* the route.

10. *des voies rétrécies, des encombrements:* bottlenecks, blocks.

11. *mouchards:* stool-pigeons.

12. *Ils t'impressionnent?:* They scare you?

13. *J'ai été chassé:* I was dismissed.

14. *la calèche:* the carriage.

15. *ébréché:* chipped.

16. *Des nuées:* Hundreds of them (stool-pigeons), literally, clouds.

17. *colporteur:* peddler.

18. *touloupe:* sheep-skin coat.

19. *Un fameux gaillard:* A real operator.

20. *défroque:* cast-off clothing.

21. lines purportedly from a poem by Kaliayev (probably by Camus).

22. *ferme:* steady.

23. *guetteront:* are on the lookout for.

24. The Russo-Japanese war (1904–1905) was nearing its end and Russia had already suffered a staggering defeat at Port Arthur (Dec. 19, 1904) at the time the play takes place.

25. *Nous nous sommes heurtés:* We've run into each other.

26. *Un seul l'avait:* i.e., Christ.

27. Here Kaliayev marks the limits he sets on the right to kill in the name of justice. He offers his own life in compensation for his deed. Thus he is neither a murderer nor an executioner, as he will maintain when he confronts both in prison. His point of view is opposed to Stepan's who kills with a sense of righteousness justified by the future

results he believes will certainly come about: absolute justice for all.

28. *une défaillance:* faintness, faint-heartedness.

29. *je m'en doutais:* I suspected it.

30. *se dresse:* stands up.

31. *prendre le tournant:* turn around the corner.

32. *tout s'écroule:* everything caves in.

33. *à mesure que:* as.

34. *J'avais envie de bondir:* I felt like jumping.

35. *elle: la calèche.*

36. *renverser:* to knock down.

37. *à la volée:* full force.

38. *je ne manquerai pas mon but:* I won't miss the mark.

39. *Deux mois de filatures:* Two months of detective work.

40. *tirer à bout portant:* fire point-blank.

41. *en connaissance de cause:* advisedly.

42. *broyés:* ground up, pulverized.

43. *Je n'ai ... niaiseries:* I haven't the stomach for this sort of nonsense.

44. *jouer sur deux tableaux:* play a double game.

45. *chiens savants:* trained dogs, i.e., the Grand Duke's nephews.

46. *il y a des limites:* This is the main theme debated in the play and raises the question of "measure."

47. *Vous vous reconnaîtriez tous les droits:* You would consider yourselves free to do anything.

48. *dans votre droit:* in the right.

49. *Je la connais peut-être:* I should know something about it.

50. *C'est celui ... fouet:* The form of honor that made you rebel under the whip.

51. *En particulier?:* Privately?

52. *"Allons ... minute.":* "There! Only another minute."

53. *reflue:* surges back.

54. *à tâtons:* gropingly.

55. *la potence:* the gallows.

56. *Par chance:* luckily.

57. *à bout de bras:* here, in my outstretched hands.

58. *me racheter:* to redeem myself.

59. *A une heure de l'attentat:* An hour before the act.

60. *qu'il éprouve:* that he put to the test.

61. *une chevalerie:* knighthood.

62. *courbe:* bends.

63. *nous avons la nuque raide:* our necks are stiff.

64. *de fond en comble:* from top to bottom.

65. *vous êtes ... faites:* You are all haggling over what you are doing.

66. *semblables:* fellow men.

67. *sourdement:* in a hollow voice.

68. *soubresaut:* start, gasp.

69. *un seau:* a pail.

70. *malgré la consigne:* contrary to orders.

71. *barine:* sir (Russian); a *barine* is one belonging to the upper classes.

72. *Un juge ... bas:* A judge has his ups and downs.

73. *Tu t'en tireras:* You'll get out of trouble; you'll manage.

74. *embourbée:* stuck in the mud.

75. *la fondrière:* the quagmire; muddy hole.

76. *batailler:* struggle.

77. *On n'a ... en prison:* One just doesn't get oneself jailed.

78. *forçat:* a convict.

79. *huit jours au secret:* eight days in solitary confinement.

80. *rebute:* repells.

81. *grâce:* pardon.

82. *Je vous offre la vie sauve:* I offer to spare your life.

83. *dégâts:* damage.

84. *Et ça ne l'a pas arrangé:* And it made quite a mess of him.

85. *c'est une affaire en or:* it's a real bargain.

86. *vous lui devez quelques égards:* you owe her some respect.

87. *Mais tout se tient:* But everything hangs together.

88. *elle ... nous a laissé le soin:* it has left it to us.

89. *Je me remets à vous:* I place my trust in you.

90. *Il consignera ... repentir:* It will contain an avowal of your repentance.

91. *si vous passez aux aveux:* if you make your confession.

92. *de service:* on duty.

93. *Ce qu'il a fait ne se renie pas:* What he has done cannot be disavowed.

94. *Tiflis:* city in Russia, capital of Georgia.

95. *Veille sur elle:* Watch over her.

96. *Nous avons fait le tour de l'homme:* We've learned all there is to know about man.

97. *s'autoriseront de nous pour tuer:* will kill on our authority.

98. *égal:* firm; steady.

99. *pelisse:* fur-lined coat.

100. *en contre-bas:* below.

101. *le linceul:* the shroud.

ACTUELLES: *Les Pharisiens de la justice*

1. *la Légion d'honneur:* decoration, instituted by Napoleon, which the French Government awards for meritorious military or civilian services.

2. *Ça peut servir:* It may come in handy.

3. *autrement sérieuse:* singularly more serious.

4. *trancher:* to cut short.

5. *une bassesse:* a contemptible point of view; an indignity.

6. *Kaliayev, Dora Brillant:* Russian socialist revolutionaries involved in assassination plots against high government officials whom Camus made leading characters in *Les Justes*.

7. *camps:* concentration camps.

L'EXIL ET LE ROYAUME: *La Pierre qui pousse*

1. *la piste de latérite:* the red clay trail.

2. *tableau de bord:* dashboard.

3. *coupa le contact:* turned off the ignition.

4. *un quinquet:* an oil lamp.

5. *phares:* headlights.

6. *détrempé:* soaked.

7. *clairière:* clearing.

8. *grincement sourd:* dull creaking.

9. *grossier appentis:* crude shelter.

10. *dérive:* drift.

11. *du côté de l'aval:* on the downstream side.

12. *toile bise:* unbleached linen.

13. *cogna:* bumped; *l'embarcadère:* the wharf.

14. *talus:* embankment; *capot:* hood; *entama la pente:* tackled the downward slope.

15. *piqua du nez:* ducked its nose.

16. *replièrent:* swung back.

17. *s'arc-bouta:* strained; *tringle:* rod.

18. *face à l'amont:* facing upstream.

19. *la trouée:* the gap.

20. *crapauds-buffles:* bullfrogs.

21. *combinaison:* overalls.

22. *remâchée:* chewed.

23. *extenuées:* faint.

24. *jacassements:* chattering.

25. *toutes amarres rompues:* having cast off all moorings.

26. *"Trois heures ... content":* "Three hours more you ride and it's over. Socrates is happy." The native chauffeur speaks broken French. He refers to himself in the third person (*Socrate*) instead of saying "*je suis content.*"

27. *tu:* one would expect *vous* after *monsieur.* This is another trademark of the sort of native speech the French call "*petit nègre,*" the equivalent of "pidgin English."

28. *le pare-brise:* windshield.

29. *un feulement:* a growling.

30. *bringuebalantes:* wobbly.

31. *Serra:* mountain ridge (Spanish: *sierra*); *São Paulo:* second largest city in Brazil, southwest of Rio de Janeiro.

32. *zébus faméliques:* starved zebus (Indian cattle with large prominent humps on the shoulders); *urubus dépenaillés:* ragged urubus (black vultures).

33. *s'éclaircissait:* was thinning out.

34. *patinait:* was skidding.

35. *fraîchement badigeonnés de chaux brune:* newly painted with brown calcinite.

36. *tiens l'eau piquante:* take fizz water.

37. *éternuements cataclysmiques:* cataclysmic sneezes.

38. *la mine d'une belette aimable:* the look of a friendly weasel.

39. *dérapa:* skidded; *de guingois:* on an angle.

40. *M. l'ingénieur:* indirect discourse.

41. *Sois pas peur: N'aie pas peur.*

42. *frondaisons:* foliage.

43. *crépi:* rough plaster.

44. *se garaient:* stepped aside.

45. *guéridons en tôle:* iron pedestal tables.

46. *un grand escogriffe:* a great lout of a fellow.

47. *sans s'émouvoir:* without getting excited.

48. *étrenna:* broke out into.

49. *incartade:* outburst.

50. *escarpé:* steep; *de torchis et de branchages:* made of clay and branches.

51. *remblai:* embankment.

52. *les niveaux différents des crues:* the various flood levels.

53. *ballonné:* bulging; bloated.

54. *courte laine grisonnante:* short graying hair; *flétri:* withered.

55. *plus déclive:* steeper.

56. *bidon:* iron drum (container).

57. *les gonds:* the hinges.

58. *sommier:* springs (on which the mattress rests); *tréteau:* stand; *chromo:* color print.

59. *loques:* rags; *pagnes:* loincloths.

60. *à contre-jour:* against the light.

61. *pandanus:* screw pines.

62. *amoncellements:* piles.

63. *bariolée:* motley.

64. *les bosquets et les taillis:* groves and bush.

65. *quand ... dos:* when he (Socrates) bumped into his back.

66. *tu connais pas?: tu ne connais pas? Ne* is frequently omitted in conversation in the vernacular.

67. *Des pêcheurs l'a trouvée: Des pêcheurs l'ont trouvée.* See below: *ils l'a lavée.*

68. *Que belle!:* is Portuguese poorly translated into French. The correct expression would be *Qu'elle est belle.*

69. *râblé:* strapping.

70. *en grosse serge:* of heavy serge; *la vareuse marinière:* the pea jacket.

71. *Il parle d'espagnol:* should be *il parle l'espagnol; raconte:* correct French would require *raconte à.*

72. *seigneur:* nobleman.

73. *fait le cabotage:* traffics along the coast.

74. *j'ai coulé:* I went down.

75. *Que lui ... promesse?:* What did he care about that absurd promise?

76. *longèrent:* walked along.

77. *ruisselait:* was dripping.

78. *le livre d'or:* the guest book.

79. *l'adjudication:* the allocation.

80. *se récria:* expressed his admiration.

81. *et se bornait ... tête:* and most of the time merely nodded his head.

82. *une théorie:* a procession.

83. *Sur un ... de palmes:* On a little palm-clad altar.

84. *papiers en rocailles:* rococo paper; *glaise:* clay.

85. *la paroi:* the wall.

86. *de part et d'autre:* on both sides.

87. *fendant:* forcing his way through.

88. *piétinement:* stamping (of the feet).

89. *ficha en terre:* stuck in the ground.

90. *présentaient des airs de transe:* showed signs of being in a trance; *figée:* rigid; *atone:* vacant.

91. *au sommet du souffle:* at the top of his lungs.

92. *souffla:* said.

93. *se déchaîna:* broke loose.

94. *surgit:* sprang.

95. *rougeoyante:* reddish.

96. *le grisait:* went to his head.

97. *du boxeur sonné:* of a boxer who has been knocked out.

98. *comme si ... entiers:* as if the bodies were tightly knotted.

99. *se mirent à tomber:* started falling.

100. *toujours ... mesure:* always on the verge of letting the beat get ahead of them.

101. *embroché:* spitted.

102. *tuteur:* support.

103. *estompées:* blurred.

104. *l'écœurement:* loathing.

105. *glauque:* sea-green; *clapotis:* lapping.

106. *à ras de terre:* flush with the soil; *à même:* right on.

107. *s'ébroua:* suddenly fluttered.

108. *où tu vas?: où vas-tu?*

109. *sans crier gare:* without warning.

110. *miraculer:* miraculously cure.

111. *emprunteraient:* would take.

112. *sans trêve:* unceasingly; *lui prodiguant:* lavishing upon him.

113. *en gerbes:* in flocks (*gerbe:* sheaf).

114. *rotin:* rattan, a species of palm.

115. *élytres:* insect wings.

116. *crécelle:* rattle.

117. *relayées:* replaced.

118. *parvis:* square (in front of a church).

119. *confréries:* confraternities; *une châsse:* a shrine.

120. *une plaque de liège:* a cork mat.

121. *arceau:* arch.

122. *s'ébranla:* got under way.

123. *s'époumonant ... enrubannés:* blowing into beribboned brasses.

124. *ferraillement:* rattle.

125. *à perte de vue:* as far as the eye could reach.

126. *en ébullition:* seething.

127. *agglutinée:* clustered.

128. *dévala:* dashed down.

129. *offusqués:* shocked.

130. *remontant:* bucking.

131. *exténué:* exhausted.

132. *débardeurs:* stevedores; *plante:* sole (of the foot).

133. *A peu près à sa hauteur:* having almost reached him.

134. *surgi il ne savait d'où:* popping up from nowhere.

135. *saccadé:* jerky.

136. *encadré:* flanked.

137. *entailla:* gashed.

138. *à bras-le-corps:* around the waist.

139. *comme pour ... force:* as if to breathe his own strength into him.

140. *terreux:* grubby.

141. *surgit dans son dos:* suddenly appeared behind him; *l'étreignit:* threw his arms around him.

142. *Légèrement ... la pierre:* Buckling somewhat under the weight of the stone.

143. *fendit avec décision:* resolutely forced his way through.

144. *le vacarme:* din.

145. *emporté:* impetuous.

146. *broyer:* crush.

147. *il obliqua vers la gauche:* he veered off to the left.

148. *roulant ... sans suite:* rolling frightened eyes, speaking incoherently.

149. *sur sa lancée:* in the direction in which he was launched.

150. *tendit l'oreille:* listened.

151. *Il assura:* He adjusted.

152. *Il pressa le pas:* He hastened his pace.

153. *aspirant à goulées désespérées:* drinking in with desperate gulps.

154. *Ils se tenaient sur le seuil:* They stood in the doorway.

155. *Ils étaient accroupis:* They were squatting.

L'ARTISTE ET SON TEMPS

1. *Lao-Tseu:* Lao-tzu, Chinese philosopher believed to have been a priest-teacher who lived before Confucius and advocated the doctrine of "inaction."

2. *qui lui affirmèrent vertement:* who bluntly told him.

3. *et qui mourrait ... servitude:* and who would sooner die of embarrassment than praise any kind of servitude.

4. *laisse entendre:* implies.

5. *Il se met ainsi en travers:* He thus stands in the way.

6. *qui ont intérêt à ... garage:* to whose advantage it is to sidetrack history.

7. *se tenir à l'écart:* to stand aside.

8. *les gueules de garde-chiourme:* the mugs (faces) of jail-keepers; *le cap est mal pris:* one who has strayed off course.

9. *sur les gradins:* on the sidelines.

10. *Vincent Van Gogh* (1853-1890), Dutch painter, friend of Gauguin and the Impressionists and forerunner of the Expressionists. He suffered several mental break-downs and spent the last years of his life in an insane asylum where he committed suicide; *la bibliothèque rose:* a collection of children's books; *Le roman noir:* the gothic novel, a type of romance popular in the late eighteenth and early nineteenth centuries. The stories, usually set in medieval castles complete with secret passageways, dungeons, ghosts and permeated with gloom and mystery, were thrillers designed to evoke genteel shudders, though some (notably Mary Shelley's *Frankenstein,* 1817) had a more serious purpose. Certain types of murder stories published in the *"collection noire"* today are direct descendants of the *roman noir; La guerre et la paix* (1869) and *La Chartreuse de Parme* (1839) are novels by Tolstoi and Stendhal respectively.

11. *la lamentation humaniste:* the humanists' lament. Camus refers to an attitude shared by many intellectuals who consider themselves heirs to the Greco-Roman-Christian tradition, dedicated to the ideals of rationalism and liberty in contrast to the passions of the age which they

feel are destroying both; *Les Possédés:* novel by Dostoevsky (1872). Stepan Trophimovich is a representative of nine-teenth-century humanism, completely despised by the young generation of nihilists, the "Possessed" in the novel.

12. *faire sa part ... si fort:* give our age its due, since it asks for it so loudly.

13. *Il n'empêche que:* nonetheless.

14. *l'édit de Nantes:* an edict issued by Henry IV of France in 1598 which granted the Protestant minority in France freedom of religion and provided safeguards against their persecution. Under Louis XIV these rights were sup-pressed one by one and the edict itself revoked in 1685, bringing about the expatriation of some of the most active and skilled segments of the population.

15. *désarroi:* confusion; *elles concourent ... but:* they work, at any rate, toward a common goal.

16. Quotation from Walt Whitman.

17. *est de règle:* is the norm.

18. *réformateurs révolutionnaires:* Camus groups here social reformers who, in spite of great differences, all agreed that art, a social phenomenon, corrupts the natural human being.

19. *saint-simoniens:* followers of the French philosopher, the comte de Saint-Simon (1760–1825). The doctrines of Saint-Simon and his disciples (Enfantin, Bazard, Blanqui), though never in complete agreement, can be outlined as follows: the reign of justice can be brought about through the elimination of property, the grouping of people in associations, the control by the state of all means of produc-tion, and the repartition of goods according to need. The *saint-simoniens* also maintained that art had to serve a socially useful purpose; *l'art dirigé:* a term applied to art when it is made to serve the ideological purposes of a totalitarian regime.

20. *Sur la dunette des galères:* On the poop-decks of galleys; *s'exténuent dans la cale:* work themselves to death in the hold (below deck).

21. *divertissement sans portée:* inconsequential amuse-ment.

22. *non plus ... lingot d'or:* no longer in terms of acres or of gold ingots; *opérations d'échange:* stock-market transactions.

23. *cœur:* ironic alteration of the expressions *"ennuis d'argent"* and *"peines de cœur"*; *Oscar Wilde:* see note 59 below.

24. *Arthur Rimbaud* (1854–1891), an extraordinarily precocious genius, wrote all his works before the age of nineteen and spent the rest of his life as an adventurer, divorcing himself completely from his earlier surroundings and from literature; *Friedrich Nietzsche* (see note 7, page 217) suffered from insanity during the last years of his life; *Gérard de Nerval* (1808–1855), one of the most important French poets of the nineteenth century, suffered a series of mental breakdowns and lapsed into intermittent madness. A few months after his last discharge from a mental home he was found hanged, having presumably committed suicide.

25. *bouches de métro:* subway entrances. They are generally eyesores.

26. *se constitue:* develops.

27. *la critique bâclée:* slap-dash criticism.

28. *n'arriverait pas à toucher le public:* would not succeed in reaching the public.

29. *qui se mêle de vouloir être célèbre:* who wants to become famous.

30. *s'est édifié contre la société:* has set itself up against society.

31. *la littérature en exercice:* literature as it was practiced.

32. *Alfred de Vigny* (1797–1863), French poet, novelist and playwright, whose pessimistic examination of the problems of humanity led to an attitude of stoic endurance of suffering. His arduous and dignified style has given a few poems unsurpassed in French (*see* below: *Chatterton*); *Honoré de Balzac* (1799–1850), French novelist, whose monumental *Comédie humaine* (the title under which he grouped his novels) established him as one of the giants of the novel and the greatest French novelist of the nineteenth century.

33. *Chatterton:* Vigny's play (1835), showing the poet's solitude in the midst of an uncomprehending and harsh society. Vigny took as hero the young English poet Chatterton. In the play he commits suicide after suffering a series of humiliating blows at the hands of society.

34. *sifflés:* booed; hissed.

35. *qu'il faut se raidir pour se grandir:* that he has to grow stiff in order to grow.

36. *à force de tout refuser:* by refusing everything.

37. *Les uns se bornent à rêver:* Some merely dream.

38. *dont la vocation est de rassembler:* whose purpose is to bring people together.

39. *la traite escomptée:* the projected revenue; *sillon:* furrow.

40. *faire machine arrière:* put the motor in reverse.

41. *frontières périmées:* obsolete barriers; *ondes:* (radio-) waves.

42. *A la limite:* At most.

43. *là où il se tient:* where he is (physically).

44. *Elle gît:* It lies.

45. *Alexander Block* (1880–1921), Russian poet who hailed the Revolution in his epic *The Twelve* (1917); *Boris Pasternak* (1890–1961), Soviet poet and novelist whose *Doctor Zhivago* earned him the 1958 Nobel Prize for literature and considerable harassment by the Soviet Government; *Vladimir Maiakovsky* (1894–1930), Soviet poet, proponent of Futurism who sang the praises of the Soviet State, and a very humorous satirist. Committed suicide; *Sergei Essenin* (1895–1925), Soviet poet who celebrated Russia and the Revolution; *Sergei Eisenstein* (1898–1948), Soviet film director, one of the masters of the medium. Among his films are *Ten Days which Shook the World* (1928), *Alexander Nevsky* (1938), and *Ivan the Terrible* (1943); *romanciers du ciment et de l'acier:* novelists who at the beginning of the twentieth century proclaimed industrial progress and the machine as the proper subject matter of the modern novel.

46. *réalisme espagnol:* All through Spanish literature

there runs a realistic sense of life. It comes to the fore in the "*costumbrismo*" stories, which deal with social customs, but is seldom absent from either drama or fiction. However, in the greater works of Spanish literature, such as *Don Quixote,* realistic detail is subordinated to a personal theme or point of view which gives the detail its significance.

47. *dans la mesure où:* insofar as.

48. *Il est plus facile ... :* i.e., a writer who deals with historical figures long since schematized can project an idealized social picture which is good propaganda.

49. *baillonné:* gagged; muzzled.

50. *ne prenne plus jamais:* may never again "take."

51. *l'auberge de Peirebeilhe:* inn where the innkeepers purportedly killed their clients, as in Camus's play *Le Malentendu.*

52. *optimisme de commande:* optimism by order.

53. *l'actualité:* contemporary reality.

54. *acharnés à:* bent on.

55. *on le somme de:* one demands that he.

56. *se lester:* take as ballast.

57. *Plus forte ... l'équilibrera:* The stronger an artist's revolt against the world, the greater may be the weight of the real which will counterbalance it.

58. *en tant que:* as.

59. *Oscar Wilde* (1856–1900): English novelist, poet, dramatist, author of *The Picture of Dorian Gray, The Importance of Being Earnest,* etc. Convicted of sodomy in 1895, he was sentenced to two years at hard labor. After regaining his freedom he retired to France under an alias and died there a besotted outcast. But in the *Ballad of Reading Gaol* he spoke for all his companions in prison. Camus, in his preface to the poem, pointed to this sense of solidarity as the source of a new greatness in Wilde.

60. *vise à le neutraliser:* aims at neutralizing it.

61. *Francisco José de Goya* (1746–1828): Spanish artist who became one of the foremost painters and engravers of the nineteenth century and exercised a most profound influence on later nineteenth century French artists; *comminatoire:* threatening, denunciating.

62. *franc-tireur:* free-lance artist.

63. *asservi:* enslaved.

64. *ligne de crête:* ridge.

65. *un affrontement:* a confronting; tackling.

66. *prêter à malentendu:* give rise to misapprehension.

67. Gide, who was a staunch defender of freedom, nonetheless advocated the need for self-imposed, freely accepted forms of discipline: ethical, "il faut suivre sa pente, mais en la remontant"; esthetic, as in the quotation Camus uses. The "constraint" of which Gide speaks here refers to the exacting requirements of any art.

68. The Gordian Knot, tied by Gordius, father of Midas, was so artful that the legend arose that whoever should unloose it would gain the empire of Asia. Alexander the Great is said to have gotten around the difficulty by cutting the Gordian Knot with his sword.

69. *plane:* hovers.

70. *libre essence:* free nature.

71. *miradors:* watch-towers.

72. *même cantonné dans son métier:* even when he is confined to his craft.

73. *défi:* challenge.

74. *elle est en passe de:* it is on its way to.

75. *Lou Andreas Salomé* (1861–1937), one of the remarkable women of the turn of the century; born in Saint Petersburg, she received her education in Switzerland and became the friend of Nietzsche, Rilke and Freud. She is the author of novels dealing with life in her native Russia, of studies of Ibsen, Nietzsche, and Rilke and of a psychological study of eroticism.

Bibliography

WORKS BY CAMUS

Novels

L'Etranger. Paris: Librairie Gallimard, 1942. (*The Stranger*. Translated by Stuart Gilbert. New York: Alfred A. Knopf, Inc., 1946; Vintage Books, Inc., 1954. Translation published in England under the title of *The Outsider*.)

La Peste. Paris: Librairie Gallimard, 1947. (*The Plague*. Translated by Stuart Gilbert. New York: Alfred A. Knopf, Inc., 1948.)

La Chute. Paris: Librairie Gallimard, 1956. (*The Fall*. Translated by Justin O'Brien. New York: Alfred A. Knopf, Inc., 1957.)

L'Exil et le royaume (short stories). Paris: Librairie Gallimard, 1957. (*Exile and the Kingdom*. Translated by Justin O'Brien. New York: Alfred A. Knopf, Inc., 1957.)

Plays

La Révolte dans les Asturies: Essai de création collective. Algiers: Charlot, 1936.

Le Malentendu suivi de *Caligula*. Paris: Librairie Gallimard, 1944.

L'Etat de siège. Paris: Librairie Gallimard, 1948.

(*Caligula and Three Other Plays*. Translated by Stuart Gilbert. Preface by Camus translated by Justin O'Brien. New York: Alfred A. Knopf, Inc., 1958.)

Les Justes. Paris: Librairie Gallimard, 1950. (*The Just Assassins*. Translated by Elizabeth Sprigge and Philip Warner. Microfilm, 1957.)

Translations and Adaptations

La dernière fleur (James Thurber). Paris: Librairie Gallimard, 1952.

Les Esprits (Pierre de Larivey). Paris: Librairie Gallimard, 1953.

La Dévotion à la croix (Pedro Calderón de la Barca). Paris: Librairie Gallimard, 1953.

Un Cas intéressant (Dino Buzzati). Paris: L'Avant-scène, 1955.

Requiem pour une nonne (William Faulkner). Paris: Librairie Gallimard, 1957.

Le Chevalier d'Olmédo (Lope de Vega Carpio). Paris: Librairie Gallimard, 1957.

Les Possédés (Dostoevsky). Paris: Librairie Gallimard, 1959. (*The Possessed*. Translated by Justin O'Brien with a foreword by Camus. New York: Alfred A. Knopf, Inc., 1960.)

Essays

L'Envers et l'endroit. Algiers: Charlot, 1937. Reprinted Paris: Librairie Gallimard, 1957 and 1958, with preface by Camus.

Noces. Algiers: Charlot, 1938. Reprinted Paris: Librairie Gallimard, 1947.

Le Mythe de Sisyphe. Paris: Librairie Gallimard, 1943. (*The Myth of Sisyphus*. Translated by Justin O'Brien. New York: Alfred A. Knopf, Inc., 1955.)

Lettres à un ami allemand. Paris: Librairie Gallimard, 1945.

Actuelles I, II, III. Paris: Librairie Gallimard, 1950, 1953, 1958. (*Resistance, Rebellion and Death*. Selections from *Actuelles I, II* and *III*. Translated with an introduction by Justin O'Brien. New York: Alfred A. Knopf, Inc., 1961.)

L'Homme révolté. Paris: Librairie Gallimard, 1951. (*The Rebel*. Translated by Anthony Bower with a preface by Sir

Herbert Read. New York: Alfred A. Knopf, Inc., 1954; Vintage Books, Inc., 1956.)

L'Eté. Paris: Librairie Gallimard, 1954.

Discours de Suéde. Paris: Libraire Gallimard, 1958.

(*Speech of Acceptance upon the Award of the Nobel Prize for Literature.* Translated by Justin O'Brien. New York: Alfred A. Knopf, Inc., 1958; *Atlantic Monthly,* May 1958, pp. 33-34.)

Carnets (Notebooks)., Vol. I. Paris: Librairie Gallimard, 1962.

Théâtre Récits Nouvelles. Paris: Gallimard, 1962.

WORKS ABOUT CAMUS

In English

Brée, Germaine. *Camus* (includes bibliography). New Brunswick: Rutgers University Press, 1959; revised 1961.

Brée, Germaine (editor). *Camus: A Collection of Critical Essays.* Englewood Cliffs, N. J.: Prentice-Hall, Inc., 1962.

Cruickshank, John. *Albert Camus.* London: Oxford University Press, 1959; New York: Galaxy Books, 1960.

Hanna, Thomas. *The Thought and Art of Albert Camus.* Chicago: Henry Regnery Co., 1958.

Maquet, Albert. *Albert Camus: The Invincible Summer.* Translated by Herma Brissault. New York: George Braziller, Inc., 1958.

Thody, Philip. *Albert Camus: A Study of His Work.* London: Hamish Hamilton, Ltd., 1957. Distributed by Macmillan Co., New York.

In French

Brisville, Jean-Claude. *Camus.* Paris: Librairie Gallimard, 1959.

Champigny, Robert. *Sur un héros païen.* Paris: Librairie Gallimard, 1959.

Luppé, Robert de. *Albert Camus.* Paris: Editions Universitaires, 1958.

Maquet, Albert. *Albert Camus ou l'invincible été.* Paris: Editions Debresse, 1955.

Quilliot, Roger. *La Mer et les prisons: Essai sur Albert*

Camus (with an extensive bibliography of Camus's work). Paris: Librairie Gallimard, 1956.

Thorens, Léon. *A la rencontre d'Albert Camus.* Brussels-Paris: La Sixaine, 1946.